JUMELAGES
interculturels

Membre de
L'ASSOCIATION
NATIONALE
DES ÉDITEURS
DE LIVRES

Presses de l'Université du Québec

Le Delta I, 2875, boulevard Laurier, bureau 450, Québec (Québec) G1V 2M2
Téléphone : 418 657-4399   *Télécopieur :* 418 657-2096
Courriel : puq@puq.ca   *Internet :* www.puq.ca

Diffusion / Distribution :

CANADA   Prologue inc., 1650, boulevard Lionel-Bertrand, Boisbriand (Québec) J7H 1N7
              Tél. : 450 434-0306 / 1 800 363-2864

FRANCE   AFPU-D – Association française des Presses d'université
              Sodis, 128, avenue du Maréchal de Lattre de Tassigny, 77403 Lagny, France – Tél. : 01 60 07 82 99

BELGIQUE Patrimoine SPRL, avenue Milcamps 119, 1030 Bruxelles, Belgique – Tél. : 02 7366847

SUISSE   Servidis SA, Chemin des Chalets 7, 1279 Chavannes-de-Bogis, Suisse – Tél. : 022 960.95.32

Sous la direction de
Nicole Carignan, Myra Deraîche et **Marie-Cécile Guillot**

JUMELAGES
interculturels
COMMUNICATION, INCLUSION ET INTÉGRATION

Préface de **Pierre Zundel**

Presses de l'Université du Québec

Catalogage avant publication de Bibliothèque et Archives nationales du Québec et Bibliothèque et Archives Canada

Vedette principale au titre :

Jumelages interculturels : communication, inclusion et intégration

Comprend des références bibliographiques.

ISBN 978-2-7605-4164-1

1. Communication interculturelle. 2. Immigrants – Intégration. 3. Diversité culturelle. I. Carignan, Nicole, 1952- . II. Deraîche, Myra, 1973- . III. Guillot, Marie-Cécile, 1967- .

HM1211.J85 2014   303.48'2   C2014-941726-8

Les Presses de l'Université du Québec
reconnaissent l'aide financière du gouvernement du Canada
par l'entremise du Fonds du livre du Canada
et du Conseil des Arts du Canada pour leurs activités d'édition.

Elles remercient également la Société de développement
des entreprises culturelles (SODEC) pour son soutien financier.

Conception graphique
Michèle Blondeau

Image de couverture
iStock

Photos des auteures
Nicole Carignan

Mise en pages
Info 1000 Mots

Dépôt légal : 1er trimestre 2015
› Bibliothèque et Archives nationales du Québec
› Bibliothèque et Archives Canada

Imprimé au Canada

Préface

Pierre ZUNDEL

Recteur et vice-chancelier, Université de Sudbury, Ontario

J'ÉTAIS ENCHANTÉ LORSQU'ON M'A DEMANDÉ D'ÉCRIRE LA PRÉFACE de ce livre. J'ai d'abord connu le travail de jumelage interculturel de Nicole Carignan et de ses collègues de l'Université du Québec à Montréal (UQAM) lorsque j'étais membre du jury d'un prix national de l'enseignement pour lequel cette équipe était candidate. L'élégance du concept et l'efficacité de son exécution dans différentes matières enseignées à l'UQAM m'ont immédiatement séduit. Ma première impression était que cette approche avait le potentiel de donner d'excellents résultats. Pendant que je préparais ma recommandation, je me demandais pourquoi cette approche était si attrayante. J'ai répondu à cette question en m'appuyant sur ma compréhension fondamentale de l'apprentissage au niveau postsecondaire.

L'un des grands défis de l'éducation postsecondaire est que chacun doit œuvrer à partir de ressources limitées. Cela est vrai autant pour les universités que pour leurs étudiants. Il devient dès lors essentiel que la pédagogie universitaire revête deux caractéristiques principales.

Cette pédagogie doit se concentrer sur les objectifs éducatifs les plus importants, notamment :

- les objectifs qui peuvent avoir la plus grande influence sur la qualité de vie des étudiants et leurs contributions à la société ;
- les objectifs qui peuvent produire le maximum d'expériences et de capacités humaines (p. ex. le savoir, le savoir-faire, le savoir-être, les domaines intellectuel, physique, spirituel et affectif).

Mesurée par unité d'effort du corps professoral, cette pédagogie doit générer beaucoup de croissance au regard de ces objectifs. Ce résultat est atteint lorsque :

- le modèle pédagogique est fondé sur une compréhension globale et précise des besoins et des caractéristiques des apprenants ;
- plusieurs types d'apprentissages se font simultanément ;
- les approches pédagogiques font un usage judicieux des ressources limitées disponibles (p. ex. le temps du personnel enseignant) ;
- les motivations des étudiants servent de moteur à des apprentissages significatifs ;
- les objectifs pédagogiques sont explicites et clairement énoncés, et les méthodes pédagogiques sont alignées sur ces objectifs et les caractéristiques des étudiants ;
- les activités sont exécutées avec savoir-faire après une préparation adéquate et sont suivies d'une réflexion appropriée ;
- des activités qui produisent un engagement substantiel des étudiants sont utilisées (p. ex. l'apprentissage expérientiel) ;
- tous les éléments du modèle ont des fondements théoriques explicites que l'on peut vérifier de manière empirique au moyen de la recherche en pédagogie et en enseignement.

Le jumelage interculturel m'est apparu riche en promesses, parce que je pouvais cocher sans hésitation chacun des critères du succès mentionnés plus haut. C'était mon sentiment il y a quelques années à la lecture du court formulaire de mise en candidature au prix national, et je suis encore plus convaincu maintenant après avoir lu ce livre. Les objectifs d'apprentissage décrits dans les différents projets de jumelage interculturel sont englobants et bien équilibrés. Ils visent à former une personne dans sa totalité et pas seulement un cerveau sans âme et sans corps. Les programmes s'appuient sur de solides fondements théoriques, sur des objectifs d'apprentissage clairs, sur une compréhension profonde des étudiants, de même que sur des méthodes pédagogiques innovantes et efficaces. Ces programmes sont exécutés avec soin et leurs incidences sur les étudiants font l'objet de recherches substantielles.

La description qualitative ci-dessus ne sera pas très utile au lecteur en l'absence d'une bonne connaissance du concept de jumelage interculturel. Elle explique surtout pourquoi ce concept fonctionne, et non ce qu'il est. Aux lecteurs qui n'auraient pas cette connaissance, je propose la description suivante dans l'espoir qu'elle leur fournira une bonne idée de son essence.

À l'aide d'une analogie empruntée au secteur agricole, on peut illustrer la différence entre l'enseignement universitaire didactique traditionnel et les nouvelles stratégies comme le jumelage interculturel. L'agriculture industrielle est semblable à la pédagogie traditionnelle : elle est fondée sur la « monoculture » et elle est mécanique – elle cultive la même variété de plantes sur de vastes étendues et elle offre une faible variété génétique. La plupart des programmes universitaires traditionnels ont de grosses classes qui traitent tous les étudiants de la même manière, comme si ces derniers formaient un groupe homogène. Pour sa part, le jumelage interculturel accorde beaucoup d'attention aux connaissances préalables, à l'état d'esprit et à la situation sociale des individus et des groupes qui constituent les populations étudiantes jumelées. Elle ajuste ses stratégies pédagogiques afin de tirer le meilleur parti de cette diversité et d'accroître ainsi l'apprentissage.

L'agriculture traditionnelle exige d'énormes quantités d'eau, de pesticides et d'engrais produits à partir de combustibles fossiles. La préparation et le traitement des sols nécessitent aussi un montant considérable d'énergie et d'effort. Au fond, il s'agit d'un modèle à haut niveau d'intrants et à grand rendement. Cette agriculture utilise la force brute pour obtenir un rendement maximal dans un type de culture très limité. La pédagogie traditionnelle fonctionne de manière semblable. Elle exige un grand nombre d'enseignants et d'assistants à l'enseignement hautement qualifiés, et elle déploie des efforts considérables en enseignement didactique. De son côté, le jumelage interculturel demande aussi du personnel hautement qualifié durant la phase de conception et de surveillance, mais la majeure partie de l'apprentissage se fait par le contact entre les étudiants jumelés et durant la période de préparation et de réflexion au sujet de l'activité qu'ils exécuteront ensemble. Cette caractéristique crée une symbiose analogue à ce que l'on trouve dans les regroupements de plantes en agriculture traditionnelle indigène. Par exemple, les Iroquois avaient un groupement de plantes appelées les « trois sœurs », composé du maïs, de la courge et du haricot. Dans ce groupe, le maïs fournit la structure physique autour de laquelle s'accrochent les tiges du haricot, le haricot capte dans l'atmosphère l'azote utilisé par la courge et le maïs, et les grandes feuilles épineuses de la courge conservent l'humidité du sol et protègent les trois plantes contre les prédateurs. Le cultivateur n'a donc pas à ériger un treillis pour les haricots, importer de l'azote ou construire une clôture pour éloigner les prédateurs. Les trois plantes se chargent de ces fonctions en plus de donner leurs fruits et leurs grains. Il en va de même pour le jumelage interculturel : les juxtapositions bien conçues d'étudiants venant de différents programmes amènent ces apprenants à répondre à leurs besoins respectifs avec un minimum d'intervention de la part du personnel enseignant.

Le rendement de l'agriculture traditionnelle est aussi très ciblé et résulte habituellement d'une seule culture. Le rendement se préoccupe moins des fonctions secondaires comme la stabilité des sols, la conservation de l'eau, le maintien de la biodiversité et les cultures d'accompagnement. Plusieurs cours et programmes universitaires mettent l'accent sur le domaine cognitif et se caractérisent principalement par la déclamation formelle des connaissances. L'un des pionniers de la philosophie permaculturelle, Bill Mollison, a énoncé la *règle de trois* selon laquelle chaque élément d'un modèle d'agriculture écologique doit remplir au moins trois fonctions utiles pour y être inclus. L'agriculture organique réunit plusieurs fonctions (rappelez-vous l'exemple des *trois sœurs*), donne plusieurs produits et est très sensible aux aspects écologiques comme la stabilité des sols et la conservation de l'eau. De la même manière, le jumelage interculturel produit des rendements dans plusieurs domaines comme le cognitif, l'affectif et le psychomoteur. Ce livre fournit plusieurs exemples de rendements ou de fonctions multiples produits par les jumelages interculturels, tels que l'apprentissage pratique d'une langue, l'apprentissage théorique de l'orientation professionnelle ou de l'expérience de l'immigrant, ainsi que l'augmentation de la confiance chez les nouveaux immigrants grâce à leurs interactions avec la culture d'accueil et à la création de réseaux d'amis et de connaissances.

La lecture de ce livre laisse l'impression d'une approche de l'apprentissage plus holistique, riche et durable que le modèle didactique traditionnel. De plus, cette approche brille par sa simplicité et son élégance.

Les personnes qui recherchent une succulente portion de travaux érudits sur le jumelage interculturel seront satisfaites. Ce livre s'adresse avant tout aux enseignants universitaires dans les matières qui utilisent actuellement le jumelage interculturel (différents champs de l'éducation, l'enseignement des langues, l'orientation professionnelle, l'accueil des immigrants, le travail social et la psychologie). Toutefois, le livre a une portée beaucoup plus large. Pour toutes les raisons mentionnées plus haut, le jumelage interculturel est un archétype de stratégies de grande efficacité. Si ce livre propose une matière attrayante et bien fondée pour les personnes engagées dans le secteur de l'éducation, il constitue aussi un véritable festin pour les éducateurs universitaires, quel que soit leur champ d'exercice, qui s'intéressent aux innovations en matière d'enseignement postsecondaire. Les différents chapitres du livre présentent les fondements théoriques du modèle, les caractéristiques et les motivations des étudiants, des exemples d'activités de cours et de programmes bien conçues et judicieusement exécutées. En somme, le livre a tout pour inspirer les éducateurs universitaires à réfléchir sérieusement à des stratégies pédagogiques qui peuvent donner des résultats semblables. Il les incitera à rechercher des activités catalytiques comme le jumelage interculturel. Il les amènera à trouver des exemples dans leur propre matière d'enseignement où les motivations intrinsèques des étudiants peuvent être mises à profit, où les contacts entre les étudiants et les tâches qu'ils accomplissent produisent des apprentissages variés et substantiels. Le livre, qui fait aussi la démonstration du pouvoir de la collaboration entre les enseignants de différentes matières, encouragera ces derniers à explorer des partenariats semblables dans leur propre établissement. Ce livre est donc de la *haute gastronomie pédagogique*. À tous ces lecteurs éventuels, je souhaite *bon appétit*!

Remerciements

Nicole CARIGNAN
Myra DERAÎCHE
Marie-Cécile GUILLOT

UN PROJET COMME CELUI DES JUMELAGES INTERCULTURELS NE SE réalise pas seul ; c'est le fruit d'un travail patient et concerté accompli par les nombreuses personnes qui y ont contribué de près ou de loin. En premier lieu, il convient de remercier notre université, l'Université du Québec à Montréal (UQAM), qui a toujours soutenu le projet.

Depuis les débuts des jumelages, des milliers de participants ont travaillé, collaboré, usé de créativité à l'occasion de ces activités enrichissantes. Nous nous devons d'adresser des remerciements chaleureux à toutes ces personnes qui font vivre et évoluer les jumelages, trimestre après trimestre.

Plus particulièrement, nous tenons à souligner la participation et l'implication des étudiants et du corps enseignant (professeurs, maîtres de langue et personnes chargées de cours) de plusieurs départements et écoles de l'UQAM : École de langues, Département de didactique des langues, Département d'éducation et formation spécialisées, Département d'éducation et pédagogie, École de travail social, Département de psychologie. Ces acteurs ont, depuis plusieurs années, contribué à faire vivre les jumelages interculturels à l'UQAM.

Nos remerciements vont aussi à la Société pour l'avancement de la pédagogie dans l'enseignement supérieur (SAPES/STLHE) pour ses encouragements à poursuivre le projet de jumelage interculturel. À cet égard, ajoutons que les responsables des jumelages ont reçu une autre forme d'appui en 2012, lorsque la Médaille du jubilé de diamant de la reine Elizabeth II a été décernée à l'équipe pour son engagement à réduire la discrimination par les jumelages interculturels entre les immigrants apprenant le français et les futurs enseignants formés à l'UQAM. Par ailleurs, la Fondation canadienne des relations raciales (FCRR/CRRF) avait déjà reconnu, en 2005, l'excellence du travail de collaboration entre l'École de langues et le Département d'éducation et formation spécialisées en attribuant une mention d'excellence à cette activité qui faisait la promotion du vivre-ensemble dans une société ethnoculturelle.

De façon particulière, l'équipe de rédaction de ce livre tient à exprimer sa reconnaissance à Danielle Maisonneuve. Sans son enthousiasme, sa confiance et ses conseils, ce projet d'édition ne se serait jamais concrétisé.

Il est important, en outre, de souligner l'appui et le soutien des collègues de la Faculté de communication de l'UQAM. Grâce au fonds que le comité de la recherche et de la création de la Faculté a octroyé à ce projet, la préparation de ce livre a été possible.

Nous remercions également Pierre Zundel, recteur et vice-chancelier de l'Université de Sudbury, ainsi que Christian Agbobli, vice-doyen à la recherche et à la création de la Faculté de communication, pour leur contribution très appréciée.

Enfin, nous ne pouvons manquer d'adresser un merci tout particulier à Gladys Benudiz, directrice de l'École de langues de l'UQAM de 2005 à 2011, qui, au début des années 2000, a osé faire des jumelages. L'idée, novatrice, s'est multipliée au fil des ans. Madame Benudiz a tissé les premiers liens avec les différents collaborateurs à ce projet. Sa vision avant-gardiste a permis à de nombreux étudiants, tant francophones qu'allophones, d'apprendre ensemble et de découvrir la richesse des uns et des autres. Si le premier jumelage n'avait pas vu le jour, ce livre n'existerait pas.

Table des matières

Partie 1.
ASSISES THÉORIQUES DES JUMELAGES INTERCULTURELS

Partie 2.
JUMELAGES INTERCULTURELS
DANS LA FORMATION UNIVERSITAIRE

Introduction

Nicole CARIGNAN
Myra DERAÎCHE
Marie-Cécile GUILLOT

> Hautement scolarisés, ils sont ingénieurs, médecins, avocats, professeurs ou informaticiens. Mais à l'heure actuelle, ils n'exercent pas leur profession. Certains sont au Québec depuis trois mois, d'autres depuis un an. [...] ces étudiants du certificat en français écrit pour non-francophones [de l'École de langues] ont été jumelés à un groupe d'étudiants de la Faculté d'éducation. [...] Le projet de jumelage de nouveaux immigrants [...] avec des étudiants en éducation relativement peu familiers avec les cultures étrangères a fait l'objet d'une expérience pilote (Leroux, 2003, p. 4).

CES LIGNES PUBLIÉES DANS LE JOURNAL *L'UQAM* EN 2003 ONT SALUÉ les efforts consentis lors de la mise en œuvre du premier jumelage interculturel, entre des étudiants[1] apprenant le français et des étudiants en éducation, qui visait à faire fondre le mur d'incompréhension et les préjugés, de même qu'à faire reconnaître la diversité ethnoculturelle.

Peut-on saisir la portée des jumelages interculturels sans comprendre la place de l'immigration dans la société canadienne et québécoise? Quelle est la responsabilité du Québec comme société d'accueil? Quels sont les défis qui se posent aux membres de la communauté d'accueil? Et ceux des membres immigrants? De quelle façon le milieu universitaire peut-il jouer un rôle en tant que milieu d'intégration? Comment le jumelage interculturel intervient-il à

---

1. Dans ce livre, le masculin est utilisé sans aucune discrimination et dans le seul but d'alléger le texte.

l'Université du Québec à Montréal (UQAM)? Quelle est sa contribution? Quels sont les objectifs des jumelages interculturels proposés par différents programmes à l'UQAM? Ce sont ces questions qui, d'entrée de jeu, guident les propos de ce livre.

Le Québec et le Canada comme sociétés d'accueil

Autrefois considéré comme une communauté homogène catholique et francophone, le Québec est devenu avec le temps une société multiculturelle et multiethnique. Pour preuve, en 2011, le Québec est la province de résidence de 19,2 % de tous les nouveaux arrivants au Canada, ce qui représente une hausse par rapport aux 17,5 % enregistrés en 2006. Au Canada, 20,6 % de la population totale est née à l'étranger, comparativement à 19,8 % selon le recensement de 2006. Les trois principales régions métropolitaines de recensement (RMR) du Canada (Toronto, Vancouver et Montréal) représentent 63,4 % de la population immigrante du pays et 62,5 % des immigrants récents. Par ailleurs, les trois RMR comptent 35,2 % de la population totale (Statistique Canada, 2011).

Toujours en 2011, quelque 2 537 400 immigrants vivent à Toronto, formant ainsi 46,0 % de la population totale de Toronto, contre 45,7 % enregistrés en 2006. De tous les immigrants de l'Ontario, 7 sur 10 résident à Toronto. Les immigrants représentent 40,0 % de la population totale de Vancouver. À Montréal, enfin, les immigrants constituent 22,6 % de la population totale, comparativement à 20,6 % lors du recensement de 2006 (Statistique Canada, 2011). La tendance des immigrants à s'établir dans les plus grandes régions urbaines est plus prononcée chez les nouveaux arrivants. Ainsi, au fil des ans, toutes les grandes agglomérations se transforment avec l'apport de ces nouveaux venus.

La place du français au Québec

Le Québec réunit la plus importante population francophone au Canada et en Amérique du Nord. Le français, qui est la langue maternelle de 80 % de la population, est parlé par 94 % de ses habitants (Bourhis, 2008). La langue française est un symbole commun d'appartenance à la société québécoise et de dialogue interculturel. La Loi sur la langue officielle reconnaît le français comme langue commune au Québec en 1974. Quelques années plus tard, en 1977, cette loi est abrogée lorsque le gouvernement adopte la Charte de la langue française. De plus, le gouvernement du Québec considère l'apprentissage de la langue française comme un élément essentiel de l'intégration sociale, culturelle et professionnelle des immigrants (ministère de l'Immigration, de la Diversité et de l'Inclusion – MIDI, 2014).

La politique linguistique s'appuie sur les principes suivants: 1) la protection et la promotion de la langue française; 2) le respect des institutions de la communauté québécoise d'expression anglaise; 3) le respect des communautés culturelles et des nations amérindiennes et inuites; 4) la promotion du français comme langue d'intégration des personnes immigrantes à la société québécoise. Le défi de la politique linguistique est de maintenir un équilibre entre le caractère de la société québécoise majoritairement francophone (79,6 % de la population) et le respect de la communauté anglophone (8,2 % de la population) ainsi que des allophones (12,3 % de la population) qui vivent sur son territoire (MIDI, 2014).

Au Québec, la documentation scientifique et gouvernementale reconnaît trois groupes : les francophones, les anglophones et les allophones. Le terme *allophone* désigne les personnes dont la langue maternelle n'est ni le français ni l'anglais. Ces personnes peuvent être des citoyens canadiens issus de l'immigration ou des immigrants reçus qui n'ont pas encore obtenu la citoyenneté canadienne. Les allophones peuvent être bilingues francophones, ayant appris le français comme langue seconde (L2), ou bilingues anglophones ayant appris l'anglais comme langue seconde (L2). D'autres allophones peuvent être trilingues, ayant acquis la connaissance du français et de l'anglais (MIDI, 2014).

Dans ce texte, l'expression *francophone* s'applique aux étudiants qui ont le français comme langue maternelle ou comme langue d'usage. Le mot *francophone* est aussi employé pour désigner les participants aux jumelages qui ne sont pas des étudiants en français langue seconde (FLS). En réalité, la langue maternelle d'un certain nombre d'entre eux n'est pas le français – ils sont donc allophones –, et ces participants ont peut-être eux-mêmes vécu un processus d'immigration. Pour faciliter la lecture et la compréhension du lecteur, et sans aucune discrimination, le terme *non-francophone* désigne les étudiants inscrits dans le programme de français langue seconde (FLS) à l'École de langues de l'UQAM.

L'université comme milieu d'intégration

À l'Université du Québec à Montréal, sur une population d'environ 40 000 étudiants presque tous francophones, 3 250 étudiants étrangers viennent de 84 pays et 450 étudiants immigrants non francophones sont inscrits dans un programme de perfectionnement du français à l'École de langues. Par sa mission, l'UQAM poursuit les objectifs suivants : 1) former aussi bien la relève que les personnes en situation d'emploi ; 2) rendre accessible la connaissance de pointe à tous les milieux sociaux et culturels ; et 3) servir les collectivités qui lui expriment des besoins (UQAM, 2014).

En s'inscrivant au cœur de la mission traditionnelle de l'UQAM, les jumelages interculturels contribuent à l'apprentissage du français, à la socialisation, à l'intégration et à la pleine participation des immigrants dans leur société d'accueil. Ces jumelages permettent aussi aux membres de la majorité francophone de comprendre les défis et les obstacles que doivent affronter les immigrants dans leur parcours migratoire.

Le contexte du jumelage interculturel

En 2002, l'École de langues, le Département d'éducation et formation spécialisées et l'École de travail social proposent des jumelages interculturels favorisant le développement des compétences de communication interculturelle (Leroux, 2003). En 2007, les premiers jumelages s'organisent en développement de carrière, en carriérologie et en didactique des langues, puis, en 2012, c'est au tour du Département de psychologie d'emboîter le pas.

Les jumelages dont il est question ici consistent en la rencontre de francophones de la société d'accueil (étudiants en éducation, enseignement, didactique des langues, psychologie, travail social, développement de carrière et carriérologie) et de non-francophones apprenant le français à l'École de langues. Ces jumelages, qui s'inscrivent dans le cadre d'activités universitaires obligatoires, sont intégrés au contenu de certains cours des programmes mentionnés.

Les jumelages valorisent les échanges pluridisciplinaires entre plusieurs départements et écoles de l'UQAM, entre professeurs, maîtres de langue et chargés de cours de différents programmes ainsi qu'entre les étudiants francophones de la société d'accueil et les immigrants apprenant le français (Zundel et Deane, 2010). Ces rencontres visent l'acquisition de compétences en communication interculturelle en situation authentique (Benudiz, 2004 ; Carignan, 2005, 2006 ; Deraîche, 2014).

Définition du jumelage interculturel

Le jumelage interculturel est une activité menée par deux groupes d'étudiants de l'UQAM : des francophones et des non-francophones. D'une part, le jumelage développe chez les étudiants francophones les habiletés à travailler avec des personnes d'autres cultures ; d'autre part, il permet aux non-francophones de pratiquer le français et d'apprendre à connaître leur société d'accueil.

Les étudiants francophones sont inscrits à un cours offrant une perspective de formation à la pluriethnicité, tandis que les étudiants non francophones suivent un cours de français. Le jumelage prend la forme de rencontres diverses, en dyade ou en équipe. Intégré dans le contenu et les activités de cours, il peut durer de 3 à 12 heures. Si plusieurs rencontres se tiennent durant les heures de cours, d'autres se déroulent à l'extérieur des cours. Enfin, l'approche préconisée dans le jumelage interculturel vise l'égalité, la coopération et la réciprocité. C'est la raison pour laquelle nous parlons de jumelage interculturel entre des «jumeaux» et des «jumelles». Le jumelage a une portée éducative pour tous (société, milieu scolaire, monde du travail) et il est reconnu par les autorités pour promouvoir le mieux-vivre ensemble.

Pertinence du jumelage interculturel

Force est de constater qu'à leur arrivée les immigrants ont peu de contacts avec les francophones de la majorité d'accueil. Quant aux étudiants francophones, ils vivent dans des milieux souvent homogènes, sans rencontrer d'immigrants. Par conséquent, le jumelage est nécessaire pour 1) développer la sensibilité à la diversité ethnoculturelle (Carignan, 2005, 2006) ; 2) mettre en œuvre des stratégies de communication interculturelle afin de débusquer les préjugés (Arasaratman et Doerfel, 2005 ; Bhawuk, Landis et Lo, 2006 ; Bourhis et Gagnon, 2006) ; et 3) apprendre à vivre ensemble (Berthelot, 1991).

Dans le contexte où les immigrants sont tenus d'apprendre le français pour que soit favorisée leur intégration et où les francophones ont la responsabilité de les accueillir, les enseignants impliqués dans les jumelages interculturels ont décidé de prendre tous les moyens possibles pour aller de l'avant avec ce projet afin de permettre aux immigrants et aux francophones de la majorité d'accueil de faire connaissance. Depuis, l'initiative a fait boule de neige et une dizaine de classes par session vivent des jumelages (Caza, 2014).

Ces échanges sont d'autant plus nécessaires que la Faculté des sciences de l'éducation de l'UQAM est la plus importante au Québec, puisqu'elle forme 30 % des enseignants de la province et près de 70 % de ceux qui pratiqueront à Montréal, et qu'un peu plus de 45 % des élèves des écoles primaires montréalaises viennent de familles d'immigrants (McAndrew, 2001). De plus, l'UQAM forme 50 % des travailleurs sociaux de l'île de Montréal et sa Faculté des sciences de l'éducation, grâce à plusieurs programmes aux trois cycles, forme des étudiants en développement de carrière et en carriérologie.

La collaboration au sein du corps professoral permet d'offrir aux étudiants des activités pédagogiques signifiantes et d'organiser des jumelages pertinents qui exigent de tous de la générosité et de l'ouverture d'esprit. Depuis la mise sur pied des jumelages, les enseignants ont observé que, pour les étudiants tant francophones que non francophones, les activités qu'ils proposent viennent compléter la formation universitaire, laquelle se fait souvent par la transmission, au moyen d'un enseignement magistral, de contenus livresques et théoriques. Ils mettent donc en lumière l'importance de valoriser les apprentissages expérientiels qui permettent aux étudiants de communiquer avec plus d'assurance et moins d'anxiété. Pour l'équipe professorale, ces échanges favorisent la mise en œuvre de stratégies de soutien et d'encadrement des étudiants et maximisent leur apprentissage tant théorique que pratique. Les jumelages à l'UQAM sont devenus une activité grandement appréciée de tous les étudiants ainsi que des enseignants et des départements concernés.

Objectifs du jumelage interculturel

Les jumelages interculturels répondent à cinq objectifs : 1) sensibiliser les étudiants à la diversité ethnoculturelle ; 2) encourager les étudiants immigrants à la pratique du français avec des francophones ; 3) responsabiliser les futurs professionnels en travail social, en éducation, en carriérologie et en psychologie, considérant les défis qui se posent au Québec en tant que société d'accueil ; 4) développer des compétences propres à leurs domaines d'études ; et 5) promouvoir la collaboration interdépartementale en contexte universitaire.

Lectorat visé

Tout en apportant un éclairage scientifique sur les jumelages interculturels, ce livre présente la mise en œuvre d'une variété d'activités à l'intention de toute personne désirant en organiser dans son milieu culturel, social, scolaire, institutionnel ou professionnel. Avec ses chapitres courts et son contenu accessible, l'ouvrage s'adresse à la fois aux étudiants, aux enseignants, aux animateurs et aux formateurs de toutes disciplines préuniversitaires et universitaires, de même qu'à toutes les personnes pour qui le développement professionnel et continu est indispensable. Tant pour les immigrants que pour les membres de la société d'accueil, ce livre est une invitation à aller à la rencontre de l'Autre : c'est-à-dire celui qui souhaite partager sa langue, sa culture et son histoire, celui qui contribue au développement de sa société d'adoption ou de celle de ses ancêtres et celui qui valorise l'inclusion, l'intégration et l'ouverture sur le monde.

Présentation générale du livre

C'est sur cette toile de fond que le livre établit, dans la première partie, les différentes assises théoriques sur lesquelles s'appuient les jumelages interculturels dans une diversité de programmes. Autrement dit, les auteurs y expliquent les modèles théoriques, les concepts et les phénomènes à l'œuvre dans la réalisation des jumelages. Dans cet ouvrage qui se veut pédagogique, le contenu est présenté de façon explicite et facilement intelligible.

L'un des objectifs est de dégager, pour les professionnels en langue, des concepts et des principes qui pourront les guider dans la préparation de jumelages. Il faut mentionner que, dans le domaine de l'enseignement des langues, des échanges, des rencontres et des projets à contenu culturel et linguistique se font depuis longtemps (Deshaies et Hamers, 1984 ; Lussier, 1984 ; Lussier et Massé, 1995). Les enseignants de langues et leurs apprenants affirment depuis belle lurette l'importance de la communication authentique et de la pratique de la langue avec des locuteurs natifs. Voilà pourquoi cet ouvrage propose des perspectives théoriques pour donner des pistes aux praticiens des langues, que ce soit en matière d'éducation interculturelle, de didactique de l'interculturel ou de didactique des langues. Ainsi, en s'appuyant sur les cinq premiers chapitres, l'enseignant de langues pourra trouver des idées nouvelles pour que les jumelages soient non seulement linguistiques et culturels, mais aussi interculturels.

Toujours dans ce domaine de l'enseignement des langues, la deuxième partie du livre propose des jumelages qui couvrent les quatre habiletés langagières. Ainsi, le chapitre 6 décrit un scénario pédagogique pour un cours de phonétique du français. Le chapitre 7 traite de l'enseignement du français dans la perspective d'un cours de communication orale. Dans le chapitre suivant (chapitre 8), les auteures exposent les étapes de jumelages réalisés, cette fois-ci, pour le développement de la compréhension orale en français. Les scénarios pédagogiques continuent de se diversifier au chapitre 9. Les auteurs y proposent une pratique de jumelages pour un cours de français écrit, pour la rédaction plus précisément. Enfin, le dernier chapitre (chapitre 10) fait état d'un jumelage interculturel qui vise la lecture et qui se déroule en ligne. Ici, on combine l'enseignement de la compréhension écrite avec les nouvelles technologies. Les auteurs de ces chapitres qui portent sur les quatre habiletés montrent que les jumelages ne se limitent pas à la conversation pour l'apprentissage d'une langue.

Il est possible de se servir de l'activité de jumelage pour l'acquisition et le développement de nombreuses compétences sociolinguistiques, culturelles et interculturelles dans la classe de langue et dans diverses formations (éducation, enseignement, travail social, carriérologie, communication et psychologie) en vue d'outiller de futurs professionnels qualifiés.

Présentation des chapitres

Partie 1. Assises théoriques des jumelages interculturels

La première partie de ce livre, qui comprend cinq modèles, présente les fondements théoriques sur lesquels s'appuient les activités de jumelage interculturel.

Le premier modèle, intitulé «Acculturation et jumelage interculturel dans la formation à l'enseignement», est proposé par Richard Bourhis, Nicole Carignan et Rana Sioufi. Ce premier chapitre, qui explique ce qui se produit lorsque deux groupes ethnoculturels se trouvent en contact direct l'un avec l'autre (processus d'acculturation interactif), permet de comprendre la nature et les caractéristiques des contacts intergroupes et de la catégorisation «Eux-Nous», les aspects cognitifs et émotifs des modes de communication en enseignement, et les concepts de préjugés et de discrimination. Ces auteurs expliquent les liens qui existent entre les orientations d'acculturation et les interactions observées entre les francophones et les non-francophones durant le jumelage.

Le chapitre 2, signé Shehnaz Bhanji-Pitman et Valérie Amireault, explique le développement de la compétence de communication interculturelle en didactique des langues. Il définit les éléments relatifs au concept d'interculturel et à celui de la compétence de communication interculturelle (CCI) en didactique des langues et traite du développement de la CCI en enseignement/apprentissage des langues.

Le chapitre 3, proposé par Myra Deraîche et Karine Lamoureux, décrit une approche récente en didactique des langues. En fait, ce modèle explore l'approche par les tâches et la perspective actionnelle ainsi que leur lien avec les jumelages en classe de langue. L'objectif est de fournir aux enseignants de FLS et aux étudiants en didactique du FLS, particulièrement auprès d'apprenants immigrants, quelques références et outils leur permettant d'établir des liens entre la théorie et la pratique au moment de réaliser des jumelages à l'aide de cette nouvelle approche didactique.

Le chapitre 4 propose de saisir ce qu'est l'aide mutuelle dans le jume-lage interculturel d'étudiants en travail social, carriérologie et français langue seconde. Les auteures Ginette Berteau et Cynthia Martiny exposent le cadre conceptuel de ce jumelage à partir de la pédagogie humaniste, de l'apprentissage expérientiel, de la théorie du contact intergroupe et du travail de groupe axé sur l'aide mutuelle.

Dans le chapitre 5, « Approche orientante et jumelage en carriérologie », Cynthia Martiny propose un cadre pour répondre aux besoins réciproques de la société d'accueil et des communautés immigrantes en contexte universitaire montréalais. Elle présente l'historique de l'approche orientante ainsi que les prin-cipes d'infusion, de collaboration et de mobilisation sur lesquels celle-ci s'appuie.

Partie 2. Jumelages interculturels dans la formation universitaire

Dans la deuxième partie du livre, différents champs d'application sont explorés pour montrer la richesse des activités de jumelage interculturel dans la formation universitaire.

La première activité (chapitre 6), décrite par Josée Blanchet et Richard Bourhis, s'intitule « Jumelage par entrevue dans un cours de phonétique et un cours de psychologie ». Pour les étudiants en phonétique de l'École de langues, ce jumelage vise l'amélioration de la prononciation du français et de sa compréhen-sion tant à l'oral qu'à l'écrit. Pour les étudiants en psychologie, on cherche par le jumelage à sensibiliser l'étudiant aux enjeux démographiques de l'immigration et de l'intégration au Québec et au Canada, de même qu'à introduire des approches de la psychologie culturelle et de la psychologie sociale de l'acculturation du point de vue tant des communautés immigrantes que de la société d'accueil.

Quant à la deuxième activité de jumelage interculturel (chapitre 7), rapportée par Juliane Bertrand et Ginette Berteau, elle porte sur l'apprentissage de la communication orale et du travail de groupe. Cette activité réunit des étudiants du baccalauréat en travail social et ceux d'un cours de communication orale du certificat en français écrit pour non-francophones. Dans ce jumelage, les étudiants développent leur compétence à participer à des échanges basés sur des principes d'aide mutuelle. Le cours de travail social veille à ce que les étudiants acquièrent les connaissances et développent les habiletés nécessaires pour intervenir avec des groupes restreints selon les principes du travail social, tandis que le cours de FLS vise en plus l'amélioration de la communication orale.

La troisième activité de jumelage (chapitre 8) vise à développer la compréhension orale dans les jumelages par counseling de Josée Blanchet et Cynthia Martiny. En ce qui concerne le cours de compréhension orale, le jumelage offre à l'étudiant les possibilités suivantes : 1) vivre une conversation authentique ; 2) mettre à l'épreuve les acquis linguistiques et stratégiques du cours ; 3) intégrer les éléments culturels concernant le monde du travail au Québec ; et 4) acquérir du vocabulaire sur le domaine de l'emploi. En ce qui concerne le cours de counseling en contexte pluriethnique, l'objectif des jumelages est de 1) maîtriser les attitudes et les habiletés requises pour créer un climat de confiance et 2) répondre de façon appropriée, lors des interactions, aux besoins « carriérologiques » des personnes issues de l'immigration.

La quatrième activité (chapitre 9), qui s'intitule « Jumelage interculturel entre immigrants et futurs enseignants : mieux écrire et mieux communiquer », est proposée par Marie-Cécile Guillot et Nicole Carignan. Ce chapitre décrit les particularités de ce projet, les objectifs, le contexte des cours *Aspects socioculturels de l'éducation* et *Rédaction II* du certificat de français écrit pour non-francophones, les cadres de référence théoriques respectifs, les caractéristiques des étudiants, le rôle des enseignants, la mise en œuvre du jumelage, y compris le premier contact entre les jumeaux, ainsi que la pertinence et l'appréciation des étudiants.

La cinquième et dernière activité (chapitre 10), « Jumelage en ligne : une expérience de communication interculturelle », a été réalisée par Valérie Amireault et Myra Deraîche. Ce jumelage implique des étudiants de FLS et des étudiants à la maîtrise en didactique des langues. Les premiers sont inscrits à un cours de lecture (niveau avancé), tandis que les deuxièmes suivent un séminaire de maîtrise. Il s'agit donc de mettre en contact des enseignants de FLS en formation avec des apprenants de FLS, et les échanges sont conçus pour 1) explorer la communication interculturelle ; 2) favoriser le développement de la compétence de communication interculturelle chez les participants ; et 3) échanger des courriels et ainsi mettre à profit les technologies de l'information.

C'est avec un immense plaisir que l'équipe de rédaction vous invite à découvrir la richesse de ces jumelages interculturels. Nous espérons que vous aurez autant de plaisir à parcourir ces pages que nous en avons eu à explorer, au fil des ans, de nouvelles expériences de jumelage, mais aussi à prendre le temps de les partager avec vous aujourd'hui. Bonne lecture !

Bibliographie

Arasaratnam, L.A. et M.L. Doerfel (2005). « Intercultural communication : Identifying components from multicultural perspectives », *International Journal of Intercultural Relations*, vol. 29, p. 137-163.

Benudiz, G. (2004). « Intégration des étudiants non francophones à l'UQAM : une expérience transculturelle », dans R. Bourhis (dir.), *La diversité culturelle dans les institutions publiques québécoises : où en sommes-nous à l'UQAM ?*, Actes du colloque de la chaire Concordia-UQAM en études ethniques, Montréal, Université du Québec à Montréal, p. 5-29.

Berthelot, J. (1991). *Apprendre à vivre ensemble. Immigration, société et éducation*, Québec, Centrale de l'enseignement du Québec.

Bhawuk, D.P.S., D. Landis et D. Lo Kevin (2006). « Intercultural training », dans D.L. Sam et J.W. Berry (dir.), *The Cambridge Handbook of Acculturation Psychology*, Cambridge, Cambridge University Press, p. 504-524.

Bourhis, R.Y. et A. Gagnon (2006). « Les préjugés, la discrimination et les relations intergroupes », dans R.J. Vallerand (dir.), *Les fondements de la psychologie sociale*, 2e éd., Montréal, Gaëtan Morin/Chenelière Éducation, p. 532-598.

Carignan, N. (2005). « Intercultural education : Collaborative learning between future teachers and immigrants at UQAM », Communication présentée à la American Educational Research Association's Annual Conference, Montréal, avril 2005.

Carignan, N. (2006). « Est-ce possible d'apprendre à vivre ensemble ? Un projet stimulant pour les futurs enseignants et les nouveaux arrivants », Actes du colloque « Quelle immigration, pour quel Québec ? », dans le cadre du 25e anniversaire de la Table de concertation des réfugiés et immigrants (TCRI), 23-24 mars 2005, Montréal, p. 65-72.

Caza, P.-É. (2014). « Dix mille jumeaux. Les jumelages interculturels se sont multipliés depuis 12 ans, touchant quelque 10 000 étudiants », *Actualités UQAM*, 10 mars, p. 1-3.

Deraîche, M. (2014). « Les jumelages interculturels. Portrait d'une pratique avec des immigrants en classe de FLS », *La Revue de l'AQEFLS*, vol. 31, n° 1, p. 93-107.

Deshaies, D. et J.-F. Hammers (1984). *Les échanges interculturels en milieu scolaire : leurs effets sur certains aspects sociopsychologiques*, Québec, Centre international de recherche sur le bilinguisme, synthèse d'études exploratoires.

Leroux, M. (2003). « Jumeler pour comprendre et apprendre », *L'UQAM*, vol. XXIX, n° 11, 24 février, p. 1-3.

L'UQAM (2003). « Les jumeaux s'exposent », *L'UQAM*, vol. XXX, n° 7, 1er décembre, p. 11.

Lussier, D. (1984). *Les effets des activités d'échanges interlinguistiques sur le développement de la compétence de communication en langue seconde en enseignement traditionnel*, Thèse de doctorat en éducation, Québec, Université Laval.

Lussier, D. et C. Massé (1995). «Un bain culturel et linguistique de trois mois en milieu francophone peut-il effacer les lacunes en immersion?», *The Canadian Modern Language Review/La Revue canadienne des langues vivantes*, vol. 52, n° 1, p. 59-80.

McAndrew, M. (2001). *Immigration et diversité à l'école*, Montréal, Les Presses de l'Université de Montréal.

Ministère de l'Immigration, de la Diversité et de l'Inclusion – MIDI (2014). Site officiel, <http://www.midi.gouv.qc.ca/fr/ministre/index.html>, consulté le 14 juin 2014.

Statistique Canada (2011). *Immigration et diversité ethnique au Canada. Enquête nationale auprès des ménages de 2011*, <http://www12.statcan.gc.ca/nhs-enm/2011/as-sa/99-010-x/99-010-x2011001-fra.cfm>, consulté le 9 juin 2014.

Université du Québec à Montréal – UQAM (2014). Page d'accueil, <http://www.uqam.ca/>, consulté le 9 juin 2014.

Zundel, P. et P. Deane (2010). «Il est temps de transformer l'enseignement au premier cycle. Pour un vrai changement, il faut repenser radicalement le processus d'enseignement et d'apprentissage», *UA/AU University Affairs/Affaires universitaires*, 6 décembre 2010.

Partie 1.

ASSISES THÉORIQUES DES JUMELAGES INTERCULTURELS

Chapitre 1.

ACCULTURATION ET JUMELAGE INTERCULTUREL DANS LA FORMATION À L'ENSEIGNEMENT

Richard BOURHIS
Département de psychologie, Université du Québec à Montréal

Nicole CARIGNAN
Département d'éducation et formation spécialisées, Université du Québec à Montréal

Rana SIOUFI
Département de psychologie, Université du Québec à Montréal

UNE SOCIÉTÉ D'ACCUEIL COMME LE QUÉBEC A LA RESPONSABILITÉ d'intégrer les immigrants qu'elle sélectionne. Dans ce contexte de pluriethnicité, les enseignants du primaire au postsecondaire, en majorité des Québécois francophones, doivent faire face aux défis de la diversité linguistique et ethnique dans leurs classes et dans leurs écoles, non seulement dans la grande région de Montréal, mais dans plusieurs régions de la province. Cela étant, que fait l'université pour valoriser la diversité ethnoculturelle dans la formation de futurs professionnels au Québec?

Les assises théoriques des activités de jumelage interculturel dans la formation à l'enseignement reposent sur le modèle d'acculturation interactif (MAI) et sur l'articulation des concepts d'endogroupe, d'exogroupe, de préjugé, de discrimination et de stigmatisation. Un survol des écrits scientifiques permet aussi de s'inspirer de l'efficacité de deux approches : l'hypothèse de contact intergroupe, de même que les programmes de formation et d'intervention. De plus, comme les stratégies pédagogiques déployées sont cruciales, les aspects affectif et cognitif des modes de communication complémentaires sont décrits.

Les jumelages interculturels proposés favorisent la rencontre des individus membres de l'endogroupe et d'exogroupes. L'endogroupe est un groupe composé d'individus se catégorisant comme membres du groupe d'appartenance auquel ils s'identifient. Quant au terme *exogroupe*, il désigne un groupe composé d'individus qu'une personne a catégorisés comme membres d'un groupe d'appartenance différent du sien et auquel elle ne s'identifie pas (Bourhis et Leyens, 1999). Selon ces ancrages identitaires, les jumelages interculturels dont il est question ici associent de futurs enseignants qui font partie de la majorité d'accueil québécoise francophone et des étudiants immigrants qui apprennent le français à l'École de langues de l'UQAM.

Afin de comprendre la dynamique des rencontres entre les Québécois francophones incluant parfois des immigrants de deuxième génération et des immigrants récents, il est nécessaire de considérer le contexte social et psychologique dans lequel se vivent les jumelages interculturels. La psychologie interculturelle offre plusieurs approches pour comprendre les relations entre les minorités et les majorités culturelles à travers le monde, notamment au Canada (Berry, Poortinga, Breugelmans, Chasiotis et Sam, 2011 ; Gaudet, 2005 ; Guimond, 2010 ; Licata et Heine, 2012).

Modèle d'acculturation interactif (MAI)

Le processus d'acculturation se met en place lorsque deux groupes ethnoculturels se trouvent en contact soutenu et direct l'un avec l'autre, ce qui entraîne des changements dans les modèles culturels initiaux des groupes en présence (Berry, 1997 ; Sam et Berry, 2006). L'acculturation se produit rarement entre des groupes de pouvoir et de statuts égaux. Les contacts intergroupes s'établissent le plus souvent entre le groupe majoritaire de la communauté d'accueil dominante et les minorités vulnérables de moindre statut issues de l'immigration (Bourhis et El-Geledi, 2010).

Par conséquent, l'acculturation conduit à des changements psychologiques, culturels, linguistiques et religieux surtout chez les immigrants minoritaires, mais aussi chez les membres de la majorité d'accueil. Comme le montre la figure de ce chapitre, le modèle d'acculturation interactif (MAI) intègre trois composantes : 1) les orientations d'acculturation endossées par les membres de la communauté d'accueil envers des groupes spécifiques d'immigrants ; 2) les orientations d'acculturation adoptées par les groupes d'immigrants ; et 3) les relations personnelles et intergroupes comme produit des combinaisons entre les orientations d'acculturation des immigrants et celles de la communauté d'accueil (Bourhis, Moïse, Perreault et Senécal, 1997).

Chaque orientation d'acculturation fait référence à une combinaison d'attitudes, de croyances et d'intentions de comportement qui guide les façons de penser et d'agir des individus. Les orientations d'acculturation définissent le type de relations que les membres des communautés d'accueil et les immigrants veulent entretenir les uns avec les autres. Elles influencent de ce fait la qualité de leurs relations interculturelles, qui peuvent être harmonieuses, problématiques ou conflictuelles. Le but des jumelages interculturels à l'UQAM est de favoriser des relations harmonieuses entre les étudiants québécois francophones majoritaires et les immigrants qui apprennent le français. La figure qui suit présente le modèle d'acculturation interactif (MAI).

MODÈLE D'ACCULTURATION INTERACTIF (MAI)

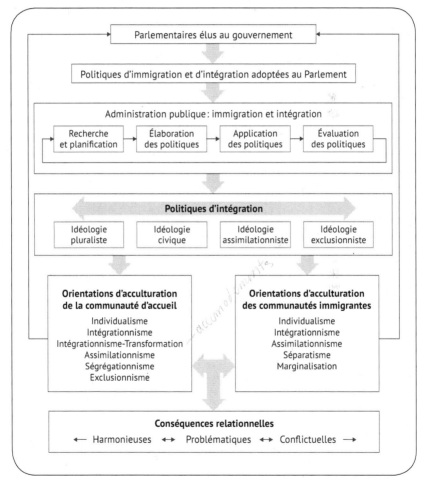

Source : Bourhis *et al.*, 1997, p. 371.

Les orientations d'acculturation qui sont endossées par les membres de la majorité d'accueil sont importantes, car elles ont un impact majeur sur les politiques d'intégration des immigrants adoptées par le Parlement du pays d'accueil. Comme le montre la figure ci-dessus, les politiques d'immigration et d'intégration se situent sur un continuum idéologique allant du pluralisme au civique, et de l'assimilationnisme à l'ethnisme.

Orientations d'acculturation des membres de la communauté d'accueil

La figure présentant le modèle d'acculturation interactif (MAI) propose six orientations d'acculturation que les membres de la communauté d'accueil peuvent adopter envers les immigrants : individualisme, intégrationnisme, intégrationnisme de transformation, assimilationnisme, ségrégationnisme et exclusionnisme (Bourhis, Barrette et Moriconi, 2008).

L'individualisme est l'orientation adoptée par les membres de la communauté d'accueil lorsqu'ils se définissent et définissent les autres en tant qu'individus plutôt que comme membres de catégories sociales «Eux-Nous». Dans leurs relations avec les immigrants, ce sont les caractéristiques personnelles, les compétences et l'accomplissement individuel qui prévalent, et non le fait d'appartenir à un groupe culturel, linguistique ou religieux en particulier. Les intégrationnistes, pour leur part, valorisent le maintien de la culture d'origine des immigrants tout en favorisant l'adoption de la culture d'accueil par les immigrants. Quant à l'intégrationnisme de transformation, il est endossé par les membres de la communauté d'accueil qui, en plus d'adhérer à la pensée intégrationniste, sont prêts à modifier certains aspects de leur culture et de leurs pratiques institutionnelles afin de faciliter l'intégration des immigrants. L'adoption de ces trois orientations d'acculturation accueillantes par les Québécois francophones favorise des relations harmonieuses avec les immigrants.

L'assimilationnisme est endossé par les membres de la communauté d'accueil qui s'attendent à ce que les immigrants renoncent à leur culture d'origine pour adopter la culture de la majorité d'accueil. Les assimilationnistes considèrent les immigrants qui se sont assimilés linguistiquement, culturellement et religieusement comme des membres de la société d'accueil. Pour ce qui est du ségrégationnisme, il est adopté par les membres de la communauté d'accueil qui ne souhaitent pas que les immigrants adoptent ou influencent la culture d'accueil, tout en acceptant que ces derniers conservent leur héritage culturel. Les membres de la communauté d'accueil qui optent pour cette orientation tendent à éviter les relations avec les immigrants. Ils préfèrent que ceux-ci restent regroupés dans leurs quartiers (ghettos) de manière à ce qu'ils ne «diluent» pas la culture d'accueil dominante. L'exclusionnisme, enfin, est endossé par les membres de la communauté d'accueil qui refusent que les immigrants préservent leur culture d'origine et qui s'opposent à ce que les immigrants adoptent ou influencent la culture d'accueil. Les exclusionnistes considèrent que les immigrants risquent de «contaminer» l'authenticité de la culture d'accueil. Les Québécois francophones qui adhèrent aux orientations les moins accueillantes, comme le ségrégationnisme et l'exclusionnisme, sont susceptibles d'entretenir des relations problématiques ou conflictuelles lors des jumelages.

Plusieurs études ont porté sur les orientations d'acculturation de majorités d'accueil envers les immigrants dans des villes multiethniques où les politiques nationales d'immigration et d'intégration diffèrent (Bourhis, Barrette, El-Geledi et Schmidt, 2009 ; Bourhis et Dayan, 2004 ; El-Geledi et Bourhis, 2012 ; Montaruli, Bourhis, Azurmendi et Larrañaga, 2011 ; Montreuil et Bourhis, 2004). Dans ces études, les étudiants universitaires adoptent surtout les orientations d'acculturation individualistes et intégrationnistes, mais peu celle de l'intégration de transformation. Dans l'ensemble, l'orientation assimilationniste est modérément endossée, alors que le ségrégationnisme et l'exclusionnisme sont les orientations d'acculturation les moins endossées envers les immigrants. La culture organisationnelle universitaire, qui valorise la méritocratie et l'accomplissement personnel indépendamment de l'origine ethnique, culturelle ou religieuse, peut expliquer en partie l'endossement soutenu de l'individualisme et de l'intégrationnisme.

Le profil sociopsychologique de chacune des orientations d'acculturation des communautés d'accueil est cohérent (Bourhis *et al.*, 2009 ; Montreuil et Bourhis, 2004). Les individualistes et les deux types d'intégrationnistes sont moins ethnocentriques et plus enclins à intégrer les immigrants dans leurs réseaux d'amis. Ils perçoivent positivement les relations avec les immigrants et leurs relations interculturelles sont surtout harmonieuses. Ils adhèrent plutôt aux idéologies politiques de centre gauche et ils endossent l'appartenance civique. Les membres de la communauté d'accueil qui sont assimilationnistes, ségrégationnistes ou exclusionnistes sont plus ethnocentriques. Ils ont le sentiment que leur groupe est menacé par la présence des immigrants avec qui les relations sont problématiques, voire conflictuelles. Ils adhèrent aux idéologies politiques de droite et ils endossent plus fortement l'appartenance nationale ethnique (Bourhis *et al.*, 2008).

Orientations d'acculturation des immigrants

Les orientations d'acculturation des immigrants ont aussi un impact sur les relations harmonieuses ou problématiques avec les membres de la communauté d'accueil. Cinq orientations d'acculturation peuvent être adoptées par les immigrants selon leur désir de maintenir leur culture d'origine ou d'adopter la culture de la société d'accueil (Berry, 2006). L'orientation d'acculturation intégrationniste se manifeste chez les immigrants dont la volonté est de maintenir certains aspects de leur culture d'origine tout en optant pour la langue et la culture de la majorité d'accueil. Certains immigrants endossent l'individualisme, car ils valorisent les caractéristiques personnelles, les compétences et l'accomplissement individuel plutôt que le fait d'appartenir à une communauté culturelle, linguistique ou religieuse. Les immigrants qui endossent l'intégrationnisme et l'individualisme sont susceptibles d'avoir des relations harmonieuses avec les membres de la communauté d'accueil, surtout ceux qui endossent également l'intégrationnisme et l'individualisme.

Les immigrants assimilationnistes préfèrent abandonner leur langue et leur culture d'origine au profit de l'adoption de la langue et de la culture de la majorité d'accueil. Ces assimilationnistes sont susceptibles d'entretenir des relations harmonieuses surtout avec les membres de la communauté d'accueil qui sont assimilationnistes ou individualistes. Les immigrants qui adhèrent à l'orientation d'acculturation séparatiste entendent préserver leur identité culturelle et linguistique d'origine, en même temps qu'ils rejettent ou ignorent la culture et les valeurs de la société d'accueil. Ils perçoivent le risque que leur culture soit diluée ou transformée par la culture et les valeurs de la communauté d'accueil. Comme les immigrants séparatistes sont susceptibles d'avoir des relations problématiques et même conflictuelles avec la plupart des membres de la communauté d'accueil, il est peu vraisemblable que ces immigrants endossant cette orientation se retrouvent parmi les étudiants qui apprennent volontairement le français à l'École de langues. Quant aux immigrants qui subissent la marginalisation, ils vivent un sentiment personnel d'aliénation et de l'inconfort dans les deux cultures. Ces individus fragilisés psychologiquement par leur expérience d'acculturation dans le pays d'accueil entretiennent des relations problématiques avec les membres de la communauté d'accueil et ceux de leur propre communauté immigrante.

Dans plusieurs pays d'accueil, les études démontrent que les immigrants endossent surtout l'intégrationnisme et l'individualisme, qu'ils adoptent moins le séparatisme et très peu l'assimilationnisme ou la marginalisation (Berry, Phinney, Sam et Vedder, 2006). Les études montrent que le manque de contacts personnels avec les membres de la majorité d'accueil et le sentiment d'être victime de discrimination sont des facteurs associés à l'orientation séparatiste et à la marginalisation. Dans certains cas, les immigrants souhaitent s'intégrer ou s'assimiler au début de leur établissement dans le pays d'accueil, mais ils finissent par adopter le séparatisme à la suite d'expériences d'exclusion et de discrimination de la part de certains membres de la majorité d'accueil. Les études empiriques révèlent que l'intégrationnisme est l'orientation la plus adaptative socialement pour les immigrants récents, contribuant à leur bien-être psychologique et aux relations harmonieuses avec les membres de la majorité d'accueil (Berry, 2006). L'assimilation et la marginalisation sont moins adaptatives psychologiquement, alors que le séparatisme peut être adaptatif pour les immigrants qui subissent la discrimination et l'exclusion.

Peut-on croire au pouvoir transformateur des rencontres interculturelles dans le cadre des jumelages? Est-ce que, pour les immigrants, les jumelages avec les membres de la majorité d'accueil pourraient être psychologiquement salutaires et favoriser le développement de relations harmonieuses, surtout entre les intégrationnistes et les individualistes, qu'ils soient immigrants ou majoritaires? Un Québécois francophone assimilationniste ou ségrégationniste qui rencontre un immigrant intégrationniste apprenant le français pourrait-il être transformé au point d'accepter l'apport positif de l'immigrant pour l'enrichissement de la société d'accueil? Ces jumelages pourraient-ils contribuer à l'établissement de relations plus harmonieuses, moins problématiques, entre les immigrants et les membres de la majorité d'accueil dominante? Souvent, les jumelages offrent la première occasion à un Québécois francophone et à un immigrant de vivre, dans un cadre égalitaire optimal, une rencontre interculturelle qui, dans certains cas, mène à des liens d'amitié durables.

Les jumelages ne se réalisent pas en vase clos. Le MAI suggère que les politiques d'intégration adoptées par le gouvernement du pays d'accueil ont un impact sur le climat social, qui sera accueillant ou intolérant à l'égard des minorités immigrantes vulnérables ou dévalorisées (voir la figure présentant le modèle d'acculturation interactif – MAI). Ces politiques déterminent les conditions qui balisent l'intégration économique, juridique, linguistique, culturelle et religieuse des nouveaux venus (Niessen, Huddleson et Citron, 2007). Quatre idéologies peuvent être adoptées par les États afin d'encadrer les minorités immigrantes dans le pays d'accueil: les idéologies pluraliste, civique, assimilatrice et exclusionniste.

Les politiques pluraliste et civique (p. ex. la Charte des droits et libertés) reconnaissent les droits individuels des citoyens, tout en exigeant que l'ensemble des citoyens majoritaires et immigrants respecte les codes civil et criminel adoptés par le Parlement. L'idéologie pluraliste valorise la diversité linguistique, culturelle et religieuse tout en reconnaissant le bien-fondé d'un soutien financier et institutionnel aux activités des minorités immigrantes autant qu'à celles de la majorité d'accueil dominante. L'idéologie pluraliste reconnaît que l'identité nationale est enrichie par l'apport de la culture de l'immigrant et que sa valorisation en facilite l'intégration. À l'opposé, l'idéologie civique défend uniquement les intérêts culturels et linguistiques de la majorité d'accueil dominante. En conséquence, peu de soutien est accordé aux besoins collectifs des communautés immigrantes, dont les membres demeurent des contribuables qui paient taxes et impôts au même titre que ceux de la majorité d'accueil.

Comme les idéologies pluraliste et civique, l'idéologie assimilatrice repose sur le principe que les immigrants doivent se conformer aux valeurs publiques de la majorité d'accueil, y compris celles contenues dans les codes civil et criminel adoptés par l'État de droit. L'idéologie assimilationniste exige que les immigrants et les minorités nationales abandonnent leurs spécificités culturelles et linguistiques au profit des valeurs de la majorité dominante qui a réussi à imposer sa langue, sa culture, sa religion et son identité nationale comme mythe fondateur de la nation. L'assimilation des immigrants peut être volontaire et s'échelonner sur plusieurs générations, ou elle peut être imposée par des lois qui assurent l'assimilation des minorités immigrantes par les institutions de l'État, dont l'éducation, les services sociaux, juridiques et de santé, par l'ensemble de l'administration publique ainsi que par le monde du travail public et privé.

Contrairement aux idéologies pluraliste, civique et assimilatrice, l'idéologie ethniste détermine qui peut et qui devrait être citoyen de l'État en se basant sur des critères d'appartenance souvent liés à la notion du droit de sang. Les nations où domine cette idéologie se disent constituées d'individus appartenant à un groupe racial ou ethnoreligieux spécifique, déterminé par la naissance ou la filiation. L'idéologie ethniste affirme que certaines minorités immigrantes sont trop éloignées culturellement, ethniquement ou religieusement de la majorité pour que leurs membres soient considérés comme des citoyens à part entière.

Les politiques d'intégration peuvent fluctuer d'un point à l'autre du continuum idéologique selon les événements politiques, économiques, démographiques ou militaires. Bien que dans le contexte québécois les idéologies étatiques se veuillent plutôt pluralistes et civiques depuis la Révolution tranquille, la Charte de la langue française (loi 101) adoptée en 1977 et la politique de l'interculturalisme adoptée en 1990 demandent que tous les immigrants s'identifient linguistiquement au français, la langue de la majorité dominante du Québec. Ces politiques linguistiques reflètent la vitalité relative des francophones et des anglophones du Québec et du Canada, le Québec étant la seule province majoritairement francophone dans un Canada majoritairement anglophone (Bourhis et Landry, 2012).

Les politiques d'intégration influencent le climat social et reflètent ou même, dans certains cas, modifient les orientations d'acculturation de la majorité d'accueil et des minorités immigrantes. À titre d'exemple, la nouvelle appellation du ministère de l'Immigration démontre cette volonté d'inclusion (le ministère de l'Immigration et des Communautés culturelles devient le ministère de l'Immigration, de la Diversité et de l'Inclusion). Les relations interculturelles ont plus de chances d'être harmonieuses dans un climat social où la politique d'intégration est pluraliste ou civique. En revanche, les relations interculturelles sont susceptibles d'être plus problématiques ou même conflictuelles dans les États qui adoptent une politique d'intégration assimilationniste ou ethniste pouvant légitimer les préjugés et la discrimination à l'égard des minorités jugées menaçantes ou indésirables pour la majorité d'accueil.

Au terme de cette présentation, il peut être précisé que le MAI sert de passerelle conceptuelle entre les politiques d'intégration des gouvernements et la nature des relations interculturelles qu'entretiennent les membres de la communauté d'accueil avec ceux des minorités immigrantes, et ce, selon leurs orientations d'acculturation. Ces conséquences relationnelles se font sentir dans la communication interculturelle, les stéréotypes, les préjugés, la discrimination sociale et institutionnelle, le stress d'acculturation, les identités multiples, le biculturalisme et l'intégration linguistique et culturelle. Dans le contexte du jumelage interculturel, le MAI permet de mieux comprendre les enjeux des relations intergroupes entre les étudiants de la majorité québécoise francophone et les immigrants impliqués dans le processus d'intégration linguistique.

Préjugé et discrimination

Le racisme, le sexisme, l'homophobie, l'âgisme, le linguicisme, l'antisémitisme, l'arabophobie et l'islamophobie sont des phénomènes néfastes qui sévissent encore dans les sociétés contemporaines (Bourhis et Carignan, 2010). Pour les combattre, nous devons mieux les comprendre grâce à l'étude systématique de l'origine des préjugés et de la discrimination (Bourhis et Gagnon, 2006). Le préjugé est un jugement *a priori*, un parti pris, une opinion préconçue visant l'ensemble des individus membres d'un exogroupe. S'appuyant sur une généralisation erronée et rigide qui ne reconnaît pas les différences individuelles existant à l'intérieur d'un groupe (Brown, 2010), il constitue une attitude négative ou une prédisposition à adopter un comportement négatif envers tous les membres d'un exogroupe dévalorisé.

La discrimination est un comportement négatif à l'égard des membres d'un exogroupe dévalorisé envers lequel on entretient des préjugés (Bourhis et Gagnon, 2006). La discrimination institutionnelle, qui se manifeste dans les grandes organisations, peut être directe, indirecte ou systémique. La discrimination directe, qui est volontaire et évidente dans le fonctionnement d'une organisation, résulte du traitement inégal réservé à une personne ou à un groupe en raison de son appartenance à une catégorie sociale dévalorisée. Par exemple, en Amérique du Nord, pendant longtemps les personnes juives, noires et asiatiques n'ont pas eu le droit de travailler dans les banques et le monde de la finance. La discrimination indirecte résulte d'une règle ou d'une loi «neutre», qui s'applique à tous de la même façon et peut produire un effet discriminatoire, non intentionnel, sur un groupe de personnes, en lui imposant des obligations ou des conditions restrictives qui n'affectent pas les autres citoyens. À l'époque, les corps policiers canadiens exigeaient que toutes les recrues aient une taille et un poids tels que la majorité des femmes ne pouvaient accéder à cette profession. La discrimination systémique, qui a pour effet de gêner l'accès à des possibilités d'emploi pour les minorités culturelles, est issue de conséquences involontaires de systèmes et de pratiques d'emploi établis, comme des tests d'aptitude culturellement biaisés. Les effets néfastes de la discrimination institutionnelle ont suffisamment nui au bon fonctionnement des sociétés pour que la plupart des États de droit aient eu à adopter des chartes de droits et libertés. La discrimination sociale se manifeste entre les individus dans l'ensemble des relations interpersonnelles en situation publique (dans la rue, les commerces, au travail, dans les écoles, dans les loisirs). Dans les relations interpersonnelles, les individus peuvent aussi subir de la stigmatisation, qui est un comportement négatif injustifié envers une personne à cause de ses caractéristiques individuelles telles que le poids, la taille, un trouble du comportement, un physique ingrat ou une déficience intellectuelle, auditive ou visuelle (Croizet et Leyens, 2003). Finalement, les comportements discriminatoires peuvent être plus ou moins virulents et peuvent prendre la forme d'humour dépréciatif, de propos haineux, de profilage racial, de non-embauche, de non-promotion, d'exclusion sociale, de crime haineux, de déportation ou de génocide.

Les recherches ont révélé que les individus victimes de préjugés ou de discrimination non seulement souffraient d'une estime de soi négative, mais se sentaient plus tristes, plus stressés et plus dépressifs que ceux qui ne subissaient pas ce genre d'abus (Croizet et Leyens, 2003). De plus, les recherches montrent qu'en général la discrimination représente une menace à l'identité sociale des victimes (Crocker et Quinn, 2001 ; Steele, 1997). Ce sentiment de menace amène parfois les victimes à s'identifier plus fortement à leur endogroupe, ce qui a pour effet de provoquer un repli identitaire qui nuit à l'intégration des minorités et peut même provoquer l'adoption de stratégie d'acculturation séparatiste à l'égard de la société d'accueil, comme le démontre une étude récente menée avec des étudiants universitaires maghrébins à Paris (Barrette, Bourhis, Personnaz et Personnaz, 2004).

À la longue, les conséquences de la discrimination sont lourdes à porter pour les victimes et vont même jusqu'à entraîner une détérioration de la santé physique. Aux États-Unis et en Grande-Bretagne, plusieurs études épidémiologiques révèlent que les victimes chroniques de préjugés et de discrimination, incluant les Africains-Américains et les musulmans, développent des sentiments de manque de contrôle et d'impuissance dans leur vie quotidienne, ce qui les rend plus susceptibles de souffrir d'hypertension, de hauts taux de cholestérol, de maladies cardiaques, de surpoids et d'obésité (James et Thomas, 2000 ; Johnston et Lordan, 2012). Les préjugés et la discrimination, qui ont des effets négatifs et corrosifs sur leurs victimes, deviennent déshumanisants pour ceux qui les commettent.

De multiples études documentent différentes explications complémentaires du préjugé et de la discrimination (Bourhis et Montreuil, 2004 ; Brown, 2010). La première explication a permis de démontrer que la catégorisation «Eux-Nous» et l'identification à l'endogroupe suffisent pour déclencher les préjugés et la discrimination, malgré l'absence de compétition réelle entre les groupes (Tajfel et Turner, 1986). La deuxième démontre que le manque de contact intergroupe, l'ignorance et le sentiment d'être menacé par la présence des exogroupes alimentent les préjugés et la discrimination. La troisième explication souligne que l'apprentissage social des préjugés se fait en famille, avec les camarades de classe et par les médias. La quatrième concerne le désir de se conformer aux normes socioculturelles dominantes souvent antipathiques à l'égard des minorités. La cinquième est l'histoire des rivalités et des conflits intergroupes transmise de génération en génération et qui justifie les préjugés et la discrimination à l'égard des exogroupes. Enfin, la sixième cause tient à la compétition entre endogroupe et exogroupe pour l'obtention de ressources limitées, telles que les emplois, les promotions et le contrôle des institutions publiques et privées de l'État (Bourhis et Gagnon, 2006).

Dans le contexte du jumelage interculturel, la compréhension de ces concepts permet aux étudiants québécois francophones et aux immigrants qui sont jumelés 1) de débusquer la présence des préjugés et des discriminations ; 2) d'en discuter les conséquences ; 3) d'en gérer les effets néfastes ; et 4) de travailler à les réduire.

Valorisation de la diversité ethnoculturelle et réduction des préjugés et de la discrimination

Dans les contextes où l'inégalité sociale entre les groupes est une réalité, les psychologues sociaux ont proposé de nombreuses mesures pour atténuer les préjugés et la discrimination (APA, 2012 ; Oskamp et Jones, 2000). Parmi ces mesures, deux approches permettent de valoriser la diversité ethnoculturelle et de réduire les préjugés et la discrimination : les contacts intergroupes ainsi que les programmes de formation et d'intervention.

Première approche : les contacts intergroupes

L'approche des contacts intergroupes repose sur l'idée que le contact personnalisé entre les membres de différents groupes améliore les relations qu'ils entretiennent entre eux. Allport (1954) a décrit les trois conditions nécessaires à la réduction des préjugés et des tensions dans une situation de contact intergroupe : 1) les participants doivent avoir un statut égal lors de leurs rencontres ; 2) le contact doit comporter un élément de coopération en vue d'atteindre un but commun ; et 3) le contact intergroupe doit être sanctionné par un appui officiel des autorités. S'appuyant sur ces trois conditions, les situations de contact suscitent la perception que les participants des deux groupes sont semblables à bien des égards, qu'ils visent à atteindre des buts communs et qu'ils partagent des intérêts complémentaires s'inscrivant dans une visée institutionnelle d'inclusion.

Le contact intergroupe permet de combattre l'ignorance de l'autre, souvent responsable des préjugés. Ces contacts aident des individus à corriger leurs conceptions erronées de l'autre, à réduire leurs préjugés et à créer des liens d'amitié avec les membres de différents groupes (Dovidio, Glick et Rudman, 2005). Des études empiriques démontrent que le fait d'apprendre que les individus de l'exogroupe ont, en réalité, des caractéristiques personnelles et des points de vue très variés est suffisant pour réduire les préjugés et la discrimination à l'égard de ces minorités (Er-rafiy et Brauer, 2010, 2013). Cependant, bien que les contacts puissent contribuer à réduire les préjugés et la discrimination, ils peuvent parfois les renforcer dans la mesure où la situation de contact confirme les préjugés qui sont véhiculés par la majorité envers les minorités.

Par ailleurs, Pettigrew et Tropp (2011) ont réalisé une métaanalyse de plus de 500 études de contact intergroupe regroupant plus de 200 000 participants. Cette vaste analyse a révélé que le contact intergroupe atténue les préjugés et que plus les études sont rigoureuses, plus l'effet bénéfique du contact se révèle important. Ils ont également démontré que les changements sont mesurables tant sur le plan affectif que sur le plan cognitif. Aussi, les trois conditions nécessaires pour le contact optimal proposé par Allport (1954) sont confirmées. Un autre point relevé par cette métaanalyse est le fait que les changements sont plus substantiels chez les participants appartenant à des groupes majoritaires que chez ceux venant de groupes minoritaires ou stigmatisés.

Pour les groupes majoritaires, la situation de contact avec la minorité est souvent une première occasion de faire la rencontre des membres de celle-ci et d'en apprécier les qualités personnelles ainsi que la variabilité des opinions et caractéristiques personnelles. Pour les minoritaires, le contact avec les majoritaires est souvent inévitable étant donné la prédominance de ces derniers dans la société d'accueil. L'ampleur de l'effet bénéfique du contact, qui varie en fonction du groupe cible « valorisé » ou « dévalorisé », est signalée, tout comme le sont les effets du contact qui se généralisent à l'ensemble des membres de l'exogroupe cible. Selon Pettigrew et Tropp (2011), ce n'est qu'en réunissant ces conditions optimales que les politiques de contact et d'intervention interculturelle ont des chances d'atteindre leurs buts.

Dans le cadre des jumelages entre la Faculté des sciences de l'éducation et l'École de langues, le succès renouvelé des jumelages interculturels repose sur les trois conditions « gagnantes » d'Allport (1954) : 1) le statut égal des participants francophones et non francophones ; 2) le but commun en lien avec les objectifs des travaux et des cours visés ; et 3) l'appui officiel des autorités, tant sur le plan de l'évaluation des travaux d'étudiants que sur celui de la crédibilité et de la valorisation du jumelage. Les changements d'attitudes des participants québécois francophones majoritaires envers les immigrants apprenant le français sont observables : les préjugés semblent s'atténuer, le sentiment de sécurité identitaire semble s'accroître et le sentiment de menace culturelle et linguistique semble diminuer (Bourhis, Carignan et Sioufi, 2013). Bien que ces changements d'attitudes résultent d'une formation interculturelle de 45 heures, l'activité du jumelage y contribue grandement. Les jumelages interculturels offrent l'occasion aux Québécois francophones de développer leur sensibilité et leur empathie à l'égard des minorités immigrantes, leur habileté de communication interculturelle, la qualité de leurs relations interethniques et leur compréhension des défis de l'intégration.

Deuxième approche : les programmes de formation et d'intervention

Plusieurs programmes de formation et d'intervention interculturels reposent sur le principe que l'ignorance de l'autre constitue la base des préjugés et des discriminations intergroupes. Ces programmes suggèrent que les préjugés sont acquis par l'apprentissage social à la maison, dans la rue et à l'école : c'est le modèle de l'enculturation. Ils s'appuient sur ces mêmes processus de socialisation pour aider les individus à acquérir de nouvelles attitudes favorisant la diversité culturelle, l'acceptation de l'autre et l'égalité des chances. Implantés en contexte scolaire, en milieu de travail et dans l'administration publique, plusieurs de ces programmes visent à sensibiliser les personnes appartenant au groupe majoritaire dominant (Oskamp et Jones, 2000).

De manière générale, leur contenu présente l'histoire, la culture, les modes de vie et les défis d'intégration culturelle et économique des minorités culturelles établies dans le pays d'accueil. D'une part, l'évaluation de ces programmes visant à réduire les préjugés montre les limites de leur efficacité. D'autre part, la présentation d'informations factuelles sur les exogroupes associées à des discussions ou à des débats portant sur les relations ethniques et la cohésion sociale entraîne une efficacité accrue (Aboud et Levy, 2000).

Une étude montréalaise réalisée par Aboud et Doyle (1996) montre qu'une discussion entre élèves ayant des niveaux différents de préjugés contribue à diminuer le niveau de préjugés de ceux qui sont particulièrement xénophobes. Ces chercheurs ont réussi à démontrer que l'expression et la justification d'attitudes positives à l'égard des groupes minoritaires ou dévalorisés par un pair ayant peu de préjugés ont un effet positif sur les personnes ayant un niveau élevé de préjugés. De telles études empiriques ont permis d'évaluer les forces et les faiblesses des programmes de formation interculturelle (Aboud et Levy, 2000). En effet, ces études incitent plusieurs chercheurs à valoriser les évaluations empiriques des effets *pré-post* de programmes interculturels plutôt que de se fier aux impressions complaisantes des personnes y ayant participé (Bourhis *et al.*, 2013 ; Paluck et Green, 2009). L'analyse d'études évaluatives a permis de diffuser des connaissances pertinentes sur l'efficacité des programmes de formation interculturelle, permettant ainsi de les bonifier (APA, 2012).

Stratégies pédagogiques liées aux aspects cognitif et émotif

Les stratégies pédagogiques déployées misent sur la complémentarité des aspects émotionnels et cognitifs de l'enseignement et de l'apprentissage. Si l'on considère ces deux aspects comme autant de modes de communication, les éléments cognitifs du cours d'éducation interculturelle qui préparent à l'activité de jumelage interculturel sont concordants avec l'approche couverte par les programmes de formation et d'intervention interculturelle (Carignan, 2005, 2006 ; Zapata et Carignan, 2012). Ce cours est constitué de présentations magistrales et de lectures de textes obligatoires sur l'histoire de l'immigration, la diversité sociale, culturelle, linguistique et religieuse au Québec. Le contenu de ces cours porte aussi sur les relations ethniques, la psychologie des préjugés et de la discrimination, les causes et les formes de discrimination, les orientations d'acculturation et les modèles d'intégration. Des discussions et des débats en petits et grands groupes, accompagnés de réflexions écrites ainsi que de la rédaction d'un journal de réflexion après chaque activité, permettent d'approfondir et de partager les éléments cognitifs et émotionnels de ce cours.

En ce qui concerne les aspects émotionnels, ils font appel à des réactions affectives relativement à des situations d'injustice, d'inégalité et de discrimination vécues par des exogroupes dévalorisés. Ainsi, des films et des documentaires présentent les effets néfastes de la discrimination. À titre d'exemple sont présentés les documentaires et films suivants : 1) *La leçon de discrimination* (2006), de la Société Radio-Canada (Bourhis et Carignan, 2007a, b et c), qui explique le phénomène de la catégorisation sociale et de la discrimination en montrant les réactions respectives des groupes «Eux-Nous», tour à tour valorisés et dévalorisés ; 2) *Le Rouge et le Noir au service du Blanc* de M. Lepage (2006), sur l'esclavage en Nouvelle-France ; et 3) *Le peuple invisible* de R. Monderie et R. Desjardins (2007) sur l'assimilation et la déculturation qu'ont subies les Algonquins du Québec. Des témoignages d'immigrants et des prestations d'intervenants invités complètent ces présentations. Toutes ces activités préparent et alimentent les différentes rencontres qui charpentent l'expérience du jumelage interculturel (Caza, 2014).

Conclusion

Le jumelage interculturel permet à tous les participants de débusquer la présence des préjugés et de la discrimination, d'en comprendre les assises et les conséquences psychologiques et relationnelles. Il favorise en outre la reconnaissance de la diversité ethnoculturelle vue non pas comme un problème, mais comme une richesse. Les assises théoriques s'appuient aussi sur le modèle d'acculturation interactif (MAI), qui permet d'apprécier l'impact des orientations d'acculturation de la majorité d'accueil sur celles des immigrants, dans un contexte de politique d'intégration influençant le climat social des relations intergroupes, lesquelles peuvent être harmonieuses, problématiques ou conflictuelles.

Fondés sur les trois principes «gagnants» de l'hypothèse de contact d'Allport (1954), les jumelages interculturels permettent aux étudiants du cours d'éducation interculturelle de rencontrer des immigrants qui apprennent le français. Les étudiants immigrants inscrits à l'École de langues ont un statut équivalant à celui des étudiants du cours d'éducation interculturelle de la Faculté des sciences de l'éducation de l'UQAM. Les étudiants ont comme but commun de communiquer en français au sujet du parcours migratoire de l'immigrant et de discuter des divers aspects des cultures d'origine et d'accueil. Les étudiants québécois aident les immigrants à apprendre certaines expressions locales du français québécois tout en s'inspirant de la rencontre pour rédiger le travail de réflexion obligatoire du jumelage interculturel. Ce dernier est sanctionné autant par la Faculté des sciences de l'éducation que par l'École de langues.

Les jumelages interculturels offrent, autant aux Québécois francophones qu'aux immigrants, l'occasion de développer leur sensibilité, leur empathie et leurs habiletés de communication interculturelle. Les problèmes d'adaptation des immigrants ont longtemps été considérés comme relevant de leur entière responsabilité. Dans ce contexte, il était entendu que les immigrants étaient les seuls responsables de l'échec ou du succès de leur intégration à la société d'accueil. Les jumelages interculturels démontrent que, sur le terrain, l'adaptation réussie des immigrants peut dépendre autant des efforts des étudiants de la majorité d'accueil que des efforts d'adaptation déployés par les étudiants immigrants. Les jumelages interculturels offrent un cadre de rencontre interculturelle plus égalitaire qui incite les membres de la majorité d'accueil à considérer qu'il est de leur responsabilité de faciliter l'intégration des immigrants. Les jumelages les encouragent à fournir un effort d'accueil largement apprécié par ces derniers, contribuant ainsi à la cohésion sociale d'un Québec qui se doit de demeurer ouvert à la diversité culturelle, religieuse et linguistique.

Bibliographie

Aboud, F.E. et A.B. Doyle (1996). «Does talk of race foster prejudice or tolerance in children?», *Canadian Journal of Behavioural Science*, vol. 28, p. 161-170.

Aboud, F.E. et S.R. Levy (2000). «Interventions to reduce prejudice in children and adolescents», dans S. Oskamp (dir.), *Reducing Prejudice and Discrimination*, Mahwah, Lawrence Erlbaum, p. 269-293.

Allport, G. (1954). *The Nature of the Prejudice*, Cambridge, Addison-Wesley.

American Psychological Association – APA (2012). *Dual Pathways to a Better America: Preventing Discrimination and Promoting Diversity*, Washington, D.C., American Psychological Association Presidential Task Force on Reducing and Preventing Discrimination Against and Enhancing Benefits of Inclusion of People Whose Social Identities are Marginalized in US Society.

Barrette, G., R.Y. Bourhis, M. Personnaz et B. Personnaz (2004). «Acculturation orientations of French and North African undergraduates in Paris», *International Journal of Intercultural Relations*, vol. 28, p. 415-438.

Berry, J.W. (1997). «Immigration, acculturation and adaptation», *Applied Psychology: An International Review*, vol. 46, p. 5-34.

Berry, J.W. (2006). «Contexts of acculturation», dans D.L. Sam et J.W. Berry (dir.), *The Cambridge Handbook of Acculturation Psychology*, Cambridge, Cambridge University Press, p. 27-42.

Berry, J.W., J.S. Phinney, D.L. Sam et P. Vedder (dir.) (2006). *Immigrant Youth in Cultural Transition: Acculturation, Identity and Adaptation across Nations*, Mahwah, Lawrence Erlbaum.

Berry, J., Y. Poortinga, S. Breugelmans, A. Chasiotis et D. Sam (2011). *Cross-Cultural Psychology: Research and Application*, Cambridge, Cambridge University Press.

Bourhis, R. et N. Carignan (2007a). «Quelques conseils autour de "La leçon de discrimination"», émission *Enjeux*, Montréal, Société Radio-Canada, p. 3-6.

Bourhis, R. et N. Carignan (2007b). «Thèmes de discussion pour "La leçon de discrimination"», émission *Enjeux*, Montréal, Société Radio-Canada, p. 7-28.

Bourhis, R. et N. Carignan (2007c). «Glossaire relié à l'explication du préjugé et de la discrimination», émission *Enjeux*, Montréal, Société Radio-Canada, p. 29-38.

Bourhis, R. et N. Carignan (2010). «Linguicism in Quebec and Canada», *Our Diverse Cities*, vol. 7, p. 156-162.

Bourhis, R., N. Carignan et R. Sioufi (2013). «Sécurité identitaire et attitudes à l'égard de l'"Autre" chez de futurs enseignants: les impacts d'une formation interculturelle», dans M. McAndrew *et al.* (dir.), *Le développement d'institutions inclusives en contexte de diversité: recherche, formation, partenariat*, Québec, Presses de l'Université du Québec, p. 117-134.

Bourhis, R.Y., G. Barrette, S. El-Geledi et R. Schmidt (2009). «Acculturation orientations and social relations between immigrant and host community members in California», *Journal of Cross-Cultural Psychology*, vol. 40, p. 443-467.

Bourhis, R.Y., G. Barrette et P.A. Moriconi (2008) «Appartenances nationales et orientations d'acculturation: une étude au Québec», *Canadian Journal of Behavioural Science*, vol. 39, p. 31-49.

Bourhis, R.Y. et J. Dayan (2004). «Acculturation orientations towards Israeli Arabs and Jewish immigrants in Israel», *International Journal of Psychology*, vol. 39, p. 118-131.

Bourhis, R.Y. et S. El-Geledi (2010). «Assimilation and acculturation», dans J.M. Levine et M.A. Hogg (dir.), *Encyclopedia of Group Processes & Intergroup Relations*, vol. 1, Los Angeles, Sage, p. 30-37.

Bourhis, R.Y. et A. Gagnon (2006). «Les préjugés, la discrimination et les relations intergroupes», dans R.J. Vallerand (dir.), *Les fondements de la psychologie sociale*, 2ᵉ éd., Montréal, Gaëtan Morin/Chenelière Éducation, p. 532-598.

Bourhis, R.Y. et R. Landry (2012). «Vitalité communautaire, autonomie culturelle et bien-être des minorités linguistiques», dans R.Y. Bourhis (dir.), *Déclin et enjeux des communautés de langue anglaise du Québec*, Ottawa, Patrimoine canadien, p. 23-73.

Bourhis, R.Y. et J.-P. Leyens (dir.) (1999). *Stéréotypes, discrimination et relations intergroupes*, 2ᵉ éd., Sprimont, Mardaga, 416 p.

Bourhis, R.Y., C. Moïse, S. Perreault et S. Senécal (1997). «Towards an interactive acculturation model: A social psychological approach», *International Journal of Psychology*, vol. 32, p. 369-386.

Bourhis, R.Y., E. Montaruli, S. El-Geledi, S.P. Harvey et G. Barrette (2010). «Acculturation in multiple host community settings», *Journal of Social Issue*, vol. 66, p. 780-802.

Bourhis, R.Y. et A. Montreuil (2004). «Les assises sociopsychologiques du racisme et de la discrimination», dans J. Renaud, A. Germain et X. Leloup (dir.), *Racisme et discrimination. Permanence et résurgence d'un phénomène inavouable*, Québec, Les Presses de l'Université Laval, p. 231-259.

Brown, R. (2010). *Prejudice. Its Social Psychology*, 2e éd., Chichester, Wiley-Blackwell.

Carignan, N. (2005). «Intercultural education: Collaborative learning between future teachers and Immigrants at UQAM», Communication présentée à la American Educational Research Association's Annual Conference, Montréal, avril 2005.

Carignan, N. (2006). «Est-ce possible d'apprendre à vivre ensemble? Un projet stimulant pour les futurs enseignants et les nouveaux arrivants», Actes du colloque «Quelle immigration, pour quel Québec?», dans le cadre du 25e anniversaire de la Table de concertation des réfugiés et immigrants (TCRI), 23-24 mars 2005, Montréal, p. 65-72.

Caza, P.-É. (2014). «Dix mille jumeaux. Les jumelages interculturels se sont multipliés depuis 12 ans, touchant quelque 10 000 étudiants», *Actualités UQAM*, 10 mars, p. 1-3.

Crocker, J. et D.M. Quinn (2001). «Psychological consequences of devalued identities», dans R. Brown et S. Gaertner (dir.), *Blackwell Handbook of Social Psychology: Intergroup Processes*, Oxford, Blackwell, p. 238-257.

Croizet, J.-C. et J.-P. Leyens (2003). *Mauvaises réputations. Réalités et enjeux de la stigmatisation sociale*, Paris, Colin.

Dovidio, J., P. Glick et L.A. Rudman (dir.) (2005). *On the Nature of Prejudice. Fifty Years after Allport*, Malden, Blackwell.

El-Geledi, S. et R.Y. Bourhis (2012). «Testing the impact of the Islamic veil on intergroup attitudes and host community acculturation orientations toward Arab Muslims», *International Journal of Intercultural Relations*, vol. 36, p. 694-706.

Er-rafiy, A. et M. Brauer (2010). «L'effet bénéfique de l'augmentation de la variabilité perçue sur la réduction des préjugés et de la discrimination», *L'année psychologique*, vol. 110, p. 103-125.

Er-rafiy, A. et M. Brauer (2013). «Modifying perceived variability. Four laboratory and field experiments show the effectiveness of a ready-to-be used prejudice intervention», *Journal of Applied Social Psychology*, vol. 43, p. 840-853.

Gaudet, E. (2005). *Relations interculturelles. Comprendre pour mieux agir*, Mont-Royal, Thomson: Groupe Modulo.

Guimond, S. (2010). *Psychologie sociale: perspective multiculturelle*, Wavre, Mardaga.

James, S. et P. Thomas (2000). «John Henryism and blood pressure in Black population. A review of the evidence», *African American Research Perspectives*, vol. 6, p. 1-10.

Johnson, D.W. et G. Lordan (2012). «Discrimination makes me sick! An examination of the discrimination-health relationship», *Journal of Health Economics*, vol. 31, p. 99-111.

Licata, L. et A. Heine (2012). *Introduction à la psychologie interculturelle*, Bruxelles, De Boeck.

Montaruli, E., R.Y. Bourhis, M.J. Azurmendi et N. Larrañaga (2011). «Social identification and acculturation in the Basque Autonomous Community», *International Journal of Intercultural Relations*, vol. 35, p. 425-439.

Montreuil, A. et R.Y. Bourhis (2004). «Acculturation orientations of competing host communities toward "valued" and "devalued" immigrants», *International Journal of Intercultural Relations*, vol. 28, p. 507-532.

Niessen, J., T. Huddleston et L. Citron (2007). *Migrant Integration Policy Index*, Londres, British Council and Migration Policy Group.

Oskamp, S. et J.M. Jones (2000). «Promising practices in reducing prejudice: A report for the President initiative on race», dans S. Oskamp (dir.), *Reducing Prejudice and Discrimination*, Mahwah, Erlbaum, p. 319-334.

Paluck, E.L. et D. Green (2009). «Prejudice reduction: What works? A review and assessment of research practice», *Annual Review of Psychology*, vol. 60, p. 339-367.

Pettigrew, T. et L. Tropp (2011). *When Groups Meet: The Dynamics of Intergroup Contact*, New York, Psychology Press.

Sam, D.L. et J.W. Berry (dir.) (2006). *The Cambridge Handbook of Acculturation Psychology*, Cambridge, Cambridge University Press.

Steele, A. (1997). «A threat in the air: How stereotypes shape intellectual identity and performance», *American Psychologist*, vol. 52, p. 613-629.

Tajfel, H. et J.C. Turner (1986). «The social identity theory of intergroup behaviour», dans S. Worchel et W.G. Austin (dir.), *The Psychology of Intergroup Relations*, Chicago, Nelson-Hall, p. 7-24.

Zapata, M.E. et N. Carignan (2012). «Les jumelages linguistiques: une expérience d'interculturalité à Montréal. Multiculturalisme, interculturalisme et la compréhension interculturelle entre les communautés et les intervenants», *Canadian Diversity/ Diversité canadienne*, vol. 9, n° 2, printemps.

Chapitre 2.

COMPÉTENCE DE COMMUNICATION INTERCULTURELLE EN DIDACTIQUE DES LANGUES

Shehnaz BHANJI-PITMAN
Formation continue, programme UQAM-MIDI, Université du Québec à Montréal

Valérie AMIREAULT
Département de didactique des langues, Université du Québec à Montréal

DANS LE CONTEXTE MONDIAL ACTUEL DE MOBILITÉ ACCRUE ENTRE les pays, l'éducation interculturelle ne s'avère plus un choix, mais plutôt un impératif dans toute situation éducative plurielle où les apprenants viennent de divers espaces linguistiques et culturels. La présence de 125 communautés culturelles au sein de la société québécoise (MICC, 2007) rend pertinente l'étude de la compétence de communication interculturelle (CCI). Cette compétence est donc abordée ici en lien avec l'activité de jumelage, dont le but principal est de promouvoir un échange entre des apprenants de français langue seconde (FLS) et de futurs enseignants inscrits au baccalauréat en didactique du FLS. Le professeur des futurs enseignants et celui des apprenants de FLS organisent des rencontres pour que les participants se connaissent, échangent, discutent de thèmes choisis, liés aux besoins de la réalité d'intégration linguistique et culturelle des apprenants.

Les formules privilégiées sont le jumelage par paires (un apprenant de FLS est jumelé à un futur enseignant), ou encore en petits groupes, selon les objectifs poursuivis. La fréquence des rencontres est également variable selon la place occupée par cette activité dans les cours. Ainsi, le jumelage peut avoir lieu une seule fois ou, de préférence, s'étendre sur plusieurs séances au cours de la session. Les modalités sont flexibles afin de permettre aux deux professeurs concernés d'adapter l'activité de jumelage à leur contexte d'enseignement particulier.

Lors de ces rencontres, comment ces futurs enseignants pourraient-ils aider les apprenants de FLS à développer la CCI afin de faciliter leur intégration à la société d'accueil ? Dans la même veine, comment l'interaction avec ces apprenants pourrait-elle aider les futurs enseignants à intervenir adéquatement en salle de classe en leur permettant de s'ouvrir à leur réalité et de mieux comprendre les obstacles à l'apprentissage de la langue et à l'adaptation dans un nouvel espace linguistique et culturel ?

Afin de répondre à ces questions, la discussion portera sur les éléments relatifs à la communication interculturelle et à la CCI en didactique des langues. Ensuite, un modèle du développement de la CCI en enseignement/apprentissage des langues sera présenté. Des liens entre les aspects théoriques se rapportant à la compétence de communication interculturelle et l'activité de jumelage seront établis par la suite. En guise de conclusion, des pistes de réflexion seront suggérées afin de souligner l'importance fondamentale de l'activité de jumelage pour le développement de la compétence de communication interculturelle des apprenants et de celle des futurs enseignants.

Liens entre la communication interculturelle et la CCI

Au fur et à mesure que la migration mondiale transforme la planète en un village global (Chen et Starosta, 2000 ; Lee Olson et Kroeger, 2001), la rencontre de personnes issues de cultures et de langues distinctes s'avère inévitable. Notons que ce flux des populations a des incidences profondes sur différents champs, en particulier celui relatif aux aspects interculturels de la communication entre les interlocuteurs originaires de contextes culturels et linguistiques extrêmement variés (Bhanji-Pitman, 2009). Considérant la diversité présente dans le contexte éducatif et social, comment pourrait-on réduire les barrières culturelles, psychologiques et sociologiques entre les interlocuteurs afin de développer la CCI des apprenants, des enseignants et de l'ensemble de la société ? À cet effet, il convient de définir la CCI en passant par la communication interculturelle.

Afin de contrer l'idéologie du *melting-pot* à caractère assimilationniste, le concept de communication interculturelle serait apparu sous le terme *éducation multiculturelle* dès les années 1930, d'abord aux États-Unis, puis au Canada et en Europe (Emongo et White, 2014 ; Rea et Tripier, 2003). Notons que la communication interculturelle fait référence à un fait relationnel complexe qui s'inscrit dans une dynamique communicationnelle lorsque des personnes issues de différents espaces culturels se trouvent en interaction (Abdallah-Pretceille, 1996 ; Clanet, 1990 ; Samovar et Porter, 2000). La question identitaire étant de première importance dans une communication interculturelle (Cohen-Émerique, 2000), l'apprentissage des langues modernes s'avère le lieu par excellence pour favoriser le contact avec l'altérité par le biais du développement de la CCI dans tout milieu éducatif pluriel et dans la formation à l'enseignement. Ainsi, il importe d'expliquer des éléments théoriques relatifs au concept de CCI.

Compétence de communication interculturelle

L'interrelation étroite entre langue, culture et pensée est mise en lumière depuis plusieurs décennies par des chercheurs dans le domaine de l'enseignement/ apprentissage des langues (Bourdieu, 1982 ; Byram et Grundy, 2003 ; Lussier, 2011 ; Stern, 1983 ; Vygotski, 1962). Étant donné qu'une langue façonne nos pensées, nos perceptions, voire notre vision du monde, il est important que les enseignants soient adéquatement formés pour promouvoir et développer la CCI en contexte éducatif pluriel. Notons toutefois que la CCI est considérée par de nombreux enseignants comme étant un prolongement de la compétence communicative (Lázár, 2005) constituée des composantes linguistique, discursive, stratégique et sociolinguistique (Bachman, 1991 ; Canale et Swain, 1980 ; Conseil de l'Europe, 2001). Cependant, « à l'ère de la mondialisation et à l'émergence d'une troisième culture » (Lussier, 2011, p. 35), force est de constater que la communication correspond à une démarche interculturelle si l'on désire véritablement échanger avec l'Autre. Le recours à certains éléments théoriques permet d'arriver à une meilleure compréhension de cette compétence.

Pour Fantini (2000), la CCI fait référence à cinq dimensions indissociables : conscience de soi et de l'Autre, connaissances, attitudes positives, habiletés et compétence langagière adéquate dans la langue cible. Selon cet auteur, la conscience de soi et de l'Autre est la clé de voûte pour une entrée réussie dans un autre espace culturel. Fantini cite en outre plusieurs attributs ayant une fonction essentielle en dialogue interculturel : respect, empathie, souplesse, patience, intérêt, curiosité, ouverture, motivation, sens de l'humour, tolérance à l'ambiguïté et volonté d'éviter tout jugement. Notons aussi l'émergence d'un modèle de développement de la CCI qui tient compte de l'interrelation étroite entre langue, pensée et culture et qui intègre les divers facteurs cognitifs, psychologiques et affectifs lors de l'apprentissage d'une langue. Le cadre conceptuel de référence retenu est inspiré de celui de Lussier (2005). Ainsi, le développement de la CCI en enseignement/apprentissage des langues comprend trois domaines principaux qui sont détaillés ci-dessous : des savoirs, des savoir-faire et des savoir-être.

Savoir, savoir-faire, savoir-être

Selon Lussier (2005), les savoirs sont d'ordre cognitif et ils font référence aux connaissances déclaratives liées à des éléments de la mémoire collective (littérature, histoire, géographie), au contexte socioculturel (valeurs, croyances, attitudes) et à la diversité des modes de vie (usages, coutumes, stéréotypes). Quant aux savoir-faire, ils sont d'ordre comportemental et font référence aux façons de faire relevant des connaissances procédurales qui font appel à la pratique et à la répétition afin de pouvoir utiliser adéquatement les divers aspects de la langue. Ils permettent ainsi aux apprenants de développer le savoir interagir adapté aux divers contextes afin de pouvoir fonctionner convenablement dans la société. Enfin, les savoir-être, qui sont d'ordre affectif et cognitif, sont répartis en trois stades évolutifs.

Au premier stade, il s'agit de sensibiliser l'apprenant aux autres langues et cultures et de développer chez lui des attitudes d'ouverture à la diversité. Au deuxième stade, l'apprenant est incité à améliorer sa connaissance de soi, sa propre culture et de son identité afin d'arriver à une appropriation critique et au respect des autres cultures. Enfin, le troisième stade comprend l'internalisation de ses valeurs propres et la valorisation des valeurs des autres cultures, de même que la capacité de médiation culturelle afin de pouvoir bien gérer des situations de conflits et de tensions.

Étant donné que les enseignants ont tendance à sous-estimer la portée de la compétence communicative (Fantini, 2000 ; Lázár, 2005 ; Lussier, 2011), la prise en compte des domaines précités s'avère indispensable. Quant à l'activité de jumelage, elle se révèle excellente pour le développement de la CCI (Dudley, 2007 ; Furcsa, 2009).

Jumelage : rencontre interculturelle et tremplin pour la CCI

Le développement de la CCI faisant partie des préoccupations récentes dans le domaine de la didactique des langues, nombreux sont les intervenants (notamment chercheurs, administrateurs de programmes, enseignants) à la recherche de pistes pédagogiques permettant d'allier théorie et pratique. L'une de celles-ci concerne la mise en œuvre d'activités de jumelage linguistique et culturel entre apprenants de langue et futurs enseignants de langue. Ces rencontres interculturelles permettent aux participants concernés de vivre une expérience empreinte d'ouverture et de réciprocité, en favorisant le développement d'une conscientisation interculturelle (Furcsa, 2009). Plus spécifiquement, la présente section s'attarde à expliciter comment, dans une expérience de jumelage, la CCI s'actualise à la fois chez les apprenants et chez les futurs enseignants et pourquoi il est pertinent, pour ces deux publics, de participer à cette activité. Le tableau qui suit propose une synthèse des éléments justifiant la pertinence du jumelage pour les apprenants et les futurs enseignants.

Pour les apprenants de langue, le jumelage :	Pour les futurs enseignants, le jumelage :
– Favorise le développement de la CCI ;	– Favorise le développement de la CCI ;
– Permet d'avoir des interactions linguistiques et culturelles significatives avec des locuteurs du français ;	– Permet de mieux comprendre les réalités des immigrants ;
– Participe à l'amélioration des habiletés d'interaction orale ;	– Contribue au développement d'attitudes d'empathie ;
– Favorise la valorisation du bagage culturel.	– Prépare à œuvrer dans un contexte pluriculturel.

En premier lieu, le jumelage se révèle être une activité de choix pour favoriser le développement de la CCI des apprenants de langue. Dans le contexte de l'intégration de nouveaux arrivants non francophones de diverses origines culturelles au Québec, les cours de FLS représentent non seulement une familiarisation avec la langue, mais aussi une porte d'entrée sur la culture de la société d'accueil.

Les liens entre la langue, la pensée et la culture doivent ainsi être mis en avant dans une telle situation d'apprentissage afin que les apprenants puissent se servir de leurs acquis linguistiques et culturels dans une visée de communication authentique avec les locuteurs du français. Au-delà de l'apprentissage du code linguistique, les apprenants doivent aussi, et surtout, savoir comment utiliser le français, c'est-à-dire s'approprier les savoirs, les savoir-faire et les savoir-être (Lussier, 2005) propres au contexte interculturel qu'est celui de leur société d'accueil. Cela renvoie au concept de l'apprenant-locuteur interculturel, un individu qui dépasse les frontières linguistiques et culturelles (Guilherme, 2002).

De même, selon Kramsch (1993), cité dans Byram et Fleming (1998, p. 224), « [o]ne of the goals of culture and language teaching is fostering the ability to cope with intercultural encounter ». L'activité de jumelage dans le cadre des cours de langue propose justement à ces apprenants de vivre une rencontre interculturelle afin de développer leur CCI et, ainsi, d'être mieux outillés pour faire l'expérience d'interactions interculturelles dans leur quotidien.

Parallèlement à ces considérations, mentionnons que plusieurs études menées au Québec soulignent la difficulté des nouveaux arrivants à entrer en contact avec des locuteurs du français dans leur vie quotidienne, à se faire des amis francophones et à entretenir des relations de qualité avec des membres de la société d'accueil (Amireault et Lussier, 2008 ; St-Laurent et El-Geledi, 2011).

Que ce soit à cause de l'autoévaluation non suffisante de leur niveau de langue en français, de la difficulté de comprendre les locuteurs lorsqu'ils s'expriment (p. ex. débit rapide, expressions employées) ou encore de leur préférence pour l'utilisation de l'anglais, pour ne nommer que ces facteurs, les nouveaux arrivants n'ont pas nécessairement beaucoup d'interactions avec des locuteurs du français. Ce manque de contacts peut s'avérer problématique dans la mesure où ces échanges constituent une façon de s'approprier la langue et la culture de la société d'accueil.

Le jumelage avec des locuteurs du français représente une modalité d'interaction qui donne aux apprenants de FLS la possibilité de créer des contacts avec des locuteurs issus de la culture d'accueil (Kurata, 2010). Par les jumelages, les apprenants ont d'abord l'occasion d'entrer en interaction linguistique et culturelle avec des membres de la société d'accueil, de découvrir l'Autre. Parmi les autres avantages d'une telle activité pour les nouveaux arrivants, notons également l'amélioration de leurs habiletés d'interaction orale (Dudley, 2007) et la valorisation de leur bagage culturel (Amireault, 2014), puisque le jumelage leur offre un espace pour partager leur culture et pour connaître la culture de l'Autre (Zapata et Carignan, 2012).

En ce qui concerne les futurs enseignants de FLS, des bénéfices importants sont aussi associés à leur participation à ces activités de jumelage avec des apprenants de langue. Le jumelage, en faisant connaître aux futurs enseignants les réalités des immigrants, leur permet de mieux comprendre le contexte dans lequel ces apprenants se sont établis au Québec ainsi que les défis linguistiques, culturels et socioéconomiques qui se posent à eux. L'importance de la prise en compte de cette réalité et du bagage culturel des apprenants constitue un atout pour ces futurs enseignants, car cela améliore leur propre CCI. En effet, l'activité de jumelage, par le partage qu'elle suscite de part et d'autre, permet notamment aux futurs enseignants d'acquérir des connaissances (sur les langues et les cultures d'origine des participants, leur parcours d'apprentissage du français, les différentes étapes de leur processus migratoire), de découvrir diverses façons de faire des apprenants (utilisation d'un débit plus lent, de répétitions, de phrases simplifiées) ainsi que des manières d'être favorisant l'ouverture, l'écoute et le respect, en lien avec l'enseignement à un public d'apprenants formé de nouveaux arrivants. Cela contribue à les sensibiliser au fait qu'ils enseigneront à des personnes possédant un bagage culturel complexe, qu'ils doivent reconnaître les atouts de cette situation et s'y adapter de différentes façons afin de maximiser l'apprentissage des étudiants.

Selon Carignan (2009), les activités de jumelage entre apprenants et futurs enseignants menées à l'UQAM ont permis d'observer que ces derniers développent particulièrement leurs attitudes d'empathie, une des compétences de la communication interculturelle. Il semble donc primordial d'aider les futurs enseignants à «élargir leurs perspectives interculturelles afin de mieux agir dans un milieu pluriethnique» (Steinbach, 2012, p. 153), et ce, en mettant davantage l'accent sur la CCI, que ce soit à l'intérieur des cours du baccalauréat ou dans les stages en milieu de pratique.

Conclusion

Dans ce chapitre, ont d'abord été mis en exergue des éléments essentiels pour la compréhension de la communication interculturelle dans le domaine de la didactique des langues. La présentation des différentes composantes du modèle du développement de la CCI a notamment facilité cette compréhension. La deuxième partie du chapitre s'est attardée à la mise en pratique de ces éléments théoriques par les activités de jumelage, une rencontre de porteurs de culture qui favorise le développement de la CCI, tant chez les apprenants de langue que chez les futurs enseignants.

La réalisation de jumelages dans un tel contexte constitue certainement une façon pour les apprenants nouveaux arrivants de mieux saisir les liens intrinsèques entre la langue et la culture. Il s'agit également d'une occasion de comprendre de façon plus approfondie leur culture d'accueil, de même que d'un tremplin pour mieux s'y intégrer, que ce soit sur le plan linguistique, culturel ou encore socioprofessionnel. Le jumelage est aussi une activité pertinente pour les futurs enseignants, cette rencontre avec l'altérité leur permettant d'interagir avec des personnes issues de l'immigration et, ainsi, d'être sensibilisés à la réalité de l'intégration des nouveaux arrivants, notamment en ce qui a trait aux difficultés liées à l'apprentissage du français et au processus migratoire. Les jumelages se situent donc naturellement au cœur d'une didactique des langues-cultures à visée interculturelle soutenue par des valeurs de réciprocité et de respect de l'Autre.

Les jumelages offrent un espace de partage qui permet la reconnaissance non seulement des similitudes entre les cultures, mais aussi de leurs différences. Pour parvenir à cette reconnaissance, il faut notamment, de la part de l'individu, une connaissance de sa propre culture ainsi qu'une volonté d'ouverture aux perceptions et aux comportements des personnes d'autres cultures. Loin de se limiter au contexte de l'enseignement/apprentissage des langues, de telles considérations interculturelles apparaissent nécessaires au vivre-ensemble au sein de la société québécoise.

En tant que citoyens, quels gestes posons-nous, quelles attitudes adoptons-nous afin de favoriser l'intégration des nouveaux arrivants? Pour que la diversité culturelle constitue une richesse plutôt qu'un frein à la vie commune, la réciprocité essentielle dans toute activité de jumelage doit être omniprésente dans l'engagement tant du nouvel arrivant que des membres de la société d'accueil. Comme le rappellent Germain et Trinh (2010, p. 32), «les premiers artisans de l'intégration des immigrants sont les Québécois eux-mêmes, qu'ils soient "de souche" ou eux-mêmes issus de l'immigration». Il y a donc, en vue d'un jumelage durable, un pas vers l'Autre à franchir pour tous les Québécois, et une même démarche d'ouverture à privilégier de la part des nouveaux arrivants.

Bibliographie

Abdallah-Pretceille, M. (1996). *Vers une pédagogie interculturelle*, Paris, Anthropos.

Amireault, V. (2014). «Le jumelage comme modalité d'intégration linguistique et culturelle des nouveaux arrivants allophones au Québec», Actes du Colloque du Groupe de recherche sur l'inter/transculturalité et l'immigration, Edmonton, Université de l'Alberta.

Amireault, V. et D. Lussier (2008). *Représentations culturelles, expériences d'apprentissage du français et motivations des immigrants adultes en lien avec leur intégration à la société québécoise. Étude exploratoire*, Montréal, Office québécois de la langue française, coll. «Langues et Sociétés», nº 45, 51 p.

Bachman, L.E. (1991). «What does language testing have to offer?», *TESOL Quarterly*, vol. 25, nº 4, p. 671-685.

Bhanji-Pitman, S. (2009). *Prise en compte par des enseignants de français langue seconde des facteurs d'ordre culturel en contexte pluriculturel adulte au Québec*, Thèse doctorale inédite, Montréal, Université du Québec à Montréal.

Bourdieu, P. (1982). *Ce que parler veut dire. L'économie des échanges linguistiques*, Paris, Fayard.

Byram, M. et M. Fleming (dir.) (1998). *Language Learning in Intercultural Perspective. Approaches through Drama and Ethnography*, Cambridge, Cambridge University Press.

Byram, M. et P. Grundy (2003). *Context and Culture in Language Teaching and Learning*, Clevedon, Multilingual Matters.

Canale, M. et M. Swain (1980). «Theoretical bases of communicative approaches to second language teaching and testing», *Applied Linguistics*, vol. 1, nº 1, p. 2-43.

Carignan, N. (2009). «La leçon d'interculturalité: le cas des jumelages interculturels dans la formation à l'enseignement à l'UQAM», Communication présentée dans le cadre des midis-recherche de la Faculté des sciences de l'éducation, 11 février.

Chen, G.-M. et W.J. Starosta (2000). «Intercultural sensitivity», dans L.A. Samovar et R.E. Porter (dir.), *Intercultural Communication. A Reader*, Scarborough, Wadsworth, p. 407-414.

Clanet, C. (1990). *L'interculturel. Introduction aux approches interculturelles en éducation et en sciences humaines*, Toulouse, Presses universitaires du Mirail.

Cohen-Émerique, M. (2000). «L'approche interculturelle auprès des migrants», dans G. Legault (dir.), *L'intervention culturelle*, Boucherville, Gaëtan Morin, p. 161-184.

Conseil de l'Europe (2001). *Un cadre européen commun de référence pour les langues: apprendre, enseigner, évaluer*, Conseil de la coopération culturelle, Division des langues vivantes, Strasbourg, Didier.

Dudley, L. (2007). «Integrating volunteering into the adult immigrant second language experience», *La revue canadienne des langues vivantes*, vol. 63, n° 4, p. 539-561.

Emongo, L. et B.W. White (2014). *L'interculturel au Québec. Rencontres historiques et enjeux politiques*, Montréal, Les Presses de l'Université de Montréal.

Fantini, A.E. (2000). «A central concern : Developing intercultural competence», dans SIT, *Inaugural Issue – About Our Institution*, Brattleboro, School for International Training, p. 23-42.

Furcsa, L. (2009). «Outcomes of an intercultural e-mail based university discussion project», *Language and Intercultural Communication*, vol. 9, n° 1, p. 24-32.

Germain, A. et T. Trinh (2010). «L'immigration au Québec. Un portrait et des acteurs», Montréal, Centre Métropolis du Québec – Immigration et métropoles, publication n° 43, <http://im.metropolis.net/researchpolicy/research_content/doc/ImmigrationQuebecWP43-3nov_final.pdf>, consulté le 6 août 2013.

Guilherme, M. (2002). *Critical Citizens for an Intercultural World*, Clevedon, Multilingual Matters.

Kurata, N. (2010). «Opportunities for foreign language learning and use within a learner's informal social networks», *Mind, Culture, and Activity : An International Journal*, vol. 17, n° 4, p. 382-396.

Lázár, I. (2005). «Développer et évaluer la compétence interculturelle. Un guide à l'usage des enseignants de langues et des formateurs», <http://archive.ecml.at/documents/pub123bF2004_Lazar.pdf>, consulté le 29 juillet 2013.

Lee Olson, K. et K. Kroeger (2001). «Global competency and intercultural sensitivity», *Journal of Studies in International Education*, vol. 5, n° 2, p. 116-137.

Lussier, D. (2005). «Redéfinir la compétence de communication comme compétence de communication interculturelle», *Revue de l'AQEFLS*, vol. 25, n° 2, p. 118-129.

Lussier, D. (2011). «Language, thought and culture : Links to intercultural communicative competence», *Éducation canadienne et internationale*, vol. 40, n° 2, p. 34-60.

Ministère de l'Immigration et des Communautés culturelles – MICC (2007). *Rapport annuel de gestion 2006-2007*, <http://www.micc.gouv.qc.ca/publications/fr/ministere/rapport-annuel/Rapport-annuel-2006-2007.pdf>, consulté le 6 août 2013.

Rea, A. et M. Tripier (2003). *Sociologie de l'immigration*, Paris, La découverte.

Samovar, L.A. et R.E. Porter (2000). «Understanding intercultural communication : An introduction and overview», dans L.A. Samovar et R.E. Porter (dir.), *Intercultural Communication : A Reader*, Scarborough, Wadsworth, 5-16.

Steinbach, M. (2012). «Élargir les perspectives interculturelles des futurs enseignants», *Revue des sciences de l'éducation de McGill*, vol. 47, n° 2, p. 153-170.

Stern, H.H. (1983). *Fundamental Concepts of Language Teaching*, Oxford, Oxford University Press.

St-Laurent, N. et S. El-Geledi (2011). *L'intégration linguistique et professionnelle des immigrants non francophones à Montréal*, Québec, Conseil supérieur de la langue française, Gouvernement du Québec.

Vygotski, L.S. (1962). *Thought and Language*, Cambridge, MIT Press.

Zapata M.E. et N. Carignan (2012). « Les jumelages linguistiques : une expérience d'interculturalité à Montréal », *Diversité canadienne/Canadian Diversity*, vol. 9, n° 2, p. 52-56.

Chapitre 3.

APPROCHE PAR LA TÂCHE ET PERSPECTIVE ACTIONNELLE
POUR INTERAGIR ET AGIR ENSEMBLE DANS UN COURS DE LANGUE

Myra DERAÎCHE
École de langues, Université du Québec à Montréal

Karine LAMOUREUX
École de langues, Université du Québec à Montréal

DEPUIS LES ANNÉES 1980, L'APPROCHE COMMUNICATIVE EST D'UNE importance majeure en didactique des langues secondes, notamment parce qu'elle a le mérite de prendre en compte les besoins langagiers des apprenants (Germain, 1993). Elle affirme l'importance que les cours de langue seconde soient axés sur la communication et l'interaction. Dans la filiation de l'approche communicative, à partir des années 1990, l'approche par les tâches met encore plus l'accent sur la nécessité d'offrir aux apprenants des occasions riches et nombreuses d'utiliser la langue de manière authentique. Elle propose à cette fin que les apprenants réalisent des tâches significatives et motivantes pour eux (Willis, 1996, cité dans Cuq, 2003 ; Nunan, 1989).

Puis la perspective actionnelle, préconisée par le Cadre européen commun de référence pour les langues (CECR) du Conseil de l'Europe de 2001, intègre à son tour la notion de tâche à réaliser par les apprenants de langue, ces derniers étant considérés cette fois comme des acteurs sociaux, amenés à interagir en réalisant ensemble des projets ayant une dimension sociale, pour devenir des citoyens solidaires et responsables. Plusieurs de ces concepts se trouvent mis en application dans le cadre des jumelages interculturels effectués à l'UQAM entre des étudiants adultes de FLS et des étudiants francophones issus d'autres domaines d'études.

Ce chapitre propose d'explorer en deux sections l'approche par les tâches et la perspective actionnelle ainsi que leur lien avec les jumelages en classe de langue. Dans un premier temps, une revue des publications sur le sujet permet d'exposer différentes notions relatives à l'apprentissage des langues dans une approche par les tâches et dans la perspective actionnelle. Dans un deuxième temps, les jumelages réalisés à l'UQAM sont présentés, et des concepts issus de ces deux approches sont repris et développés en lien avec les jumelages. On y voit en quoi ces derniers peuvent être considérés comme des tâches et les grandes étapes de leur réalisation. Les objectifs sont 1) de fournir aux enseignants de FLS et aux étudiants en didactique du FLS quelques références et outils particulièrement utiles auprès d'apprenants immigrants ; et 2) d'établir des liens entre la théorie et la pratique au moment de réaliser des jumelages en classe de langue.

Approche par les tâches

Dans la lignée de l'approche communicative dont elle est issue, l'approche par les tâches, qui est particulièrement axée sur la communication et l'inter-action, a été documentée par Skehan (1998), Ellis (2003) et Willis (2004). Elle vise essentiellement à permettre aux apprenants d'utiliser la langue. La notion d'interaction permet de distinguer l'activité de la tâche dans l'approche communicative, puisque seule la tâche mise sur l'interaction entre les apprenants pour un meilleur apprentissage de la langue (Cuq, 2003).

Selon Hismanoglu et Hismanoglu (2011), Pluskwa, Willis et Willis (2009) et Willis (2004), l'approche par les tâches se fonde notamment sur deux prémisses issues de la didactique des langues : l'exposition à la langue et l'utilisation libre de celle-ci. D'une part, pour apprendre une langue, l'apprenant a besoin d'y être abondamment exposé et de porter son attention sur le sens, et non seulement sur les formes linguistiques. D'autre part, l'apprentissage d'une langue exige des interactions nombreuses et riches, au cours desquelles l'apprenant peut utiliser la langue librement, de manière naturelle et en confiance, de même qu'essayer de nouvelles expressions et stratégies de communication, sans peur de faire des erreurs. Au cours de ces interactions, les apprenants développent des habiletés pragmatiques, telles que la prise de parole et le changement de sujet. Ils peuvent négocier le sens (p. ex. amener leur interlocuteur à s'adresser à eux d'une manière plus compréhensible en signalant de façon verbale ou non verbale qu'ils n'ont pas bien compris). Plus ils utilisent la langue de cette manière, plus ils acquièrent des automatismes, ce qui amène progressivement la spontanéité, l'aisance à communiquer (Willis, 1996, cité dans Willis, 2004).

Pour comprendre l'approche par les tâches, il importe de définir la notion de tâche, d'en donner quelques exemples et d'en considérer deux éléments clés, soit l'attention portée au sens des messages et l'importance que les tâches soient motivantes. Comme son nom l'indique, dans cette approche, la tâche constitue le principal outil pour fournir aux apprenants des possibilités de communiquer dans des contextes riches qui favorisent l'acquisition et la maîtrise de la langue.

Il existe plusieurs définitions de ce concept dans les publications sur le sujet. Willis (1996, cité dans Willis, 2004, p. 15) définit la tâche comme «une activité orientée vers un but, dans laquelle les apprenants utilisent la langue pour atteindre un résultat réel». Par ailleurs, la définition d'Ellis (2003) mentionne que la tâche exige de l'apprenant qu'il accorde son attention première au sens et qu'il utilise toutes ses ressources linguistiques.

Différentes activités d'apprentissage peuvent donc être considérées comme des tâches dans le contexte d'un cours de langue et différentes typologies des tâches existent (Willis, 2004). À titre d'exemple, une tâche peut consister à chercher des informations, à ordonner ou sélectionner les informations trouvées, à régler un problème, à jouer à un jeu, à partager ou à comparer des expériences personnelles, à créer une œuvre ou encore à réaliser des projets en collaboration (Willis, 1996, cité dans Willis, 2004). La tâche peut mettre en œuvre une ou plusieurs habiletés à la fois – des habiletés de production et de réception, orales et écrites –, de même que différents processus cognitifs. De plus, selon Skehan (1998), la tâche n'est orientée ni vers la seule pratique de la langue ni vers la conformité du résultat. Les définitions de Skehan (1998) et d'Ellis (2003) mettent l'accent sur l'importance de la communication dans une tâche. De plus, ils rappellent qu'idéalement la tâche doit ressembler à celle qui est faite en situation réelle, l'objectif ultime étant que les apprentissages réalisés dans le cours de langue soient transférables à l'extérieur du contexte pédagogique.

Un autre aspect important dans l'approche par les tâches est le fait que celles-ci doivent être motivantes pour les apprenants. Elles doivent avoir une utilité autre que la seule pratique de la langue (Willis, 2004). Pour que l'apprentissage soit motivant et durable, il est essentiel de choisir les tâches et d'adapter les méthodes d'enseignement au profil, au niveau et aux intérêts des apprenants.

Selon Willis (2004), Coste (2009), Nissen (2011) et Pluskwa et al. (2009), la tâche qu'on trouve dans un cours de langue, qui se subdivise en différentes étapes, constitue le cycle classique de la tâche. Ces étapes sont la préparation (prétâche), la réalisation (tâche) et le retour sur celle-ci (post-tâche). Une tâche peut également se décliner en différentes sous-tâches. Par exemple, l'élaboration d'un exposé oral en équipe peut donner lieu à plusieurs sous-tâches à l'étape de la préparation (recherche documentaire, organisation du travail), à l'étape de la réalisation (réutilisation des nouvelles formes linguistiques), mais aussi à l'étape de la rétroaction (réflexion critique, analyse).

Dans une approche par les tâches, les enseignants ont comme rôle de choisir et de concevoir la tâche, de préparer les apprenants à la réaliser. Le choix et la préparation de la tâche doivent tenir compte du niveau, des objectifs et des champs d'intérêt des apprenants. La préparation des apprenants pourrait inclure le choix du sujet par les apprenants eux-mêmes, une discussion ou une lecture préliminaire sur le sujet, la mise au point de stratégies à utiliser en cas d'incompréhension ou de malentendu culturel. Par différentes interventions, l'enseignant peut amener les apprenants à prendre conscience de formes linguistiques et d'éléments culturels (Auger et Louis, 2009 ; Hismanoglu et Hismanoglu, 2011) à différents moments : avant, pendant et après la réalisation de la tâche.

Perspective actionnelle et CECR

Voyons brièvement les principales orientations pédagogiques de la perspective actionnelle et sa vision de l'apprenant de langue. L'approche par les tâches et la perspective actionnelle sont liées, puisque la tâche constitue l'outil méthodologique qui concrétise la perspective actionnelle (Richer, 2009). Particulièrement prisée par des auteurs européens, la perspective actionnelle est préconisée par le Cadre européen commun de référence pour les langues (désormais CECR, Conseil de l'Europe, 2001). Elle est considérée par Puren (2011) comme un ensemble d'orientations pédagogiques diversifiées, telles que la pédagogie du projet, la pédagogie du contrat, la pédagogie différenciée, la pédagogie de groupe et l'approche par compétences. Par exemple, la pédagogie du contrat avance qu'un projet devient une occasion d'apprentissage et vise un équilibre entre le travail collectif et le travail individuel.

Bien que l'approche actionnelle reprenne les concepts de l'approche communicative, le concept de la «langue pour agir», pour sa part, va plus loin que celui de la langue pour communiquer. Par conséquent, l'apprenant est appelé à jouer un rôle actif dans son apprentissage et dans la société. Puren (2004) parle même de «coaction», puisque la classe devient notamment un lieu où l'on travaille avec les autres à la réalisation de projets à finalité sociale.

Ainsi, dans la perspective actionnelle, l'apprenant de langue devient un acteur social. Autrement dit, l'apprentissage vise à amener l'apprenant à devenir non seulement un locuteur compétent, mais surtout un citoyen informé, avisé, responsable et solidaire (Coste, 2009 ; Puren, 2011 ; Rosen, 2009). Selon Auger et Louis (2009, p. 107), dans le CECR, l'apprenant de langue doit devenir «un médiateur linguistique et culturel capable de jouer pleinement son rôle de citoyen européen».

En somme, autant l'approche par les tâches que la perspective actionnelle sont axées sur la pratique de la langue, l'interaction et l'action dans des modalités et des finalités motivantes pour les apprenants. Comme les apprenants se retrouvent impliqués et qu'ils réalisent une tâche dont ils peuvent constater le résultat, ils sont amenés à réinvestir ces apprentissages à l'extérieur de la classe et à réfléchir à la portée de ceux-ci.

Mise en œuvre des jumelages interculturels

À la lumière de l'approche par les tâches et de la perspective actionnelle, les jumelages interculturels 1) peuvent constituer des tâches en soi dans les cours de langue ; 2) nécessitent un grand soin dans la préparation, la réalisation et la rétroaction d'une tâche ; et, enfin, 3) s'avèrent être des tâches signifiantes et motivantes pour l'immigrant qui cherche à s'intégrer dans la société.

Dans plusieurs cours de FLS de l'UQAM, des jumelages interculturels suscitent l'interaction entre étudiants de FLS et étudiants francophones. Les étudiants non francophones de l'École de langues sont en majorité des immigrants scolarisés, installés au Québec depuis quelques mois, voire quelques années, avec l'objectif de s'y intégrer linguistiquement, socioculturellement, professionnellement et économiquement. Pour leur part, les étudiants francophones sont inscrits dans divers programmes d'études (éducation, travail social, psychologie ou carriérologie). Ces jumelages prennent diverses formes en fonction des possibilités logistiques, mais habituellement les étudiants, qui sont jumelés en duos ou en petits groupes, se rencontrent une à quatre fois en classe ou en dehors de la classe et échangent ou collaborent autour d'un thème ou d'un projet. La mise sur pied des projets de jumelage vise, pour les immigrants, à pallier leur manque de contacts avec des Québécois, en suscitant une rencontre et une interaction significatives permettant de pratiquer le français et de faciliter leur intégration. Quant aux francophones, les jumelages permettent de les sensibiliser aux défis de l'intégration des immigrants, en plus de développer leur compréhension de ce processus et leur empathie envers ces derniers.

Pour illustrer en quoi les jumelages interculturels peuvent être considérés comme des tâches à part entière, il est possible de se référer à Pluskwa *et al.* (2009, p. 211-212), qui ont proposé six critères caractérisant une « bonne » tâche.

a) Est-ce que l'activité va éveiller l'intérêt de l'apprenant ?

b) Est-ce que l'accent est mis principalement sur le sens ?

c) Y a-t-il un objectif à remplir ou un résultat démontrable ou qui peut être partagé ?

d) Le succès est-il jugé en termes d'objectif, plutôt qu'en termes d'exactitude de langue ?

e) La réalisation de la tâche est-elle une priorité ?

f) Est-ce que l'activité s'apparente à une activité du monde réel ?

Les expériences de jumelage ont permis de constater que la réponse à chacune de ces questions est la plupart du temps affirmative. Les jumelages éveillent généralement l'intérêt des apprenants, tel qu'ils l'expriment fréquemment avant et après les rencontres. En effet, dans les cours de langue seconde, les tâches classiques amènent le plus souvent les apprenants à communiquer entre eux, c'est-à-dire avec d'autres locuteurs non natifs de la langue cible. Les jumelages, en revanche, leur fournissent des occasions de rencontre avec des francophones, rencontres fortement souhaitées étant donné la difficulté qu'éprouvent les immigrants à rencontrer spontanément des natifs dans la vie de tous les jours.

Les jumelages mettent également l'accent sur le sens des messages, le contenu des discussions, plus que sur les formes linguistiques. En discutant avec des francophones, les apprenants de langue tentent de faire passer leurs messages et de comprendre ceux de leur interlocuteur plutôt que de se concentrer sur la grammaire, la prononciation ou le vocabulaire.

Ces activités sont souvent orientées vers un objectif ou un résultat démontrable, et plusieurs incluent des sous-tâches (discussions, écriture de texte ou préparation d'exposé oral). Le succès du jumelage réside dans l'occasion qu'il offre aux participants de réaliser un projet ensemble et de favoriser des échanges en situation sociale et professionnelle quasi authentique.

La réalisation de la tâche est une priorité pour les apprenants, en particulier pour les immigrants, qui souhaitent prendre contact et communiquer avec des locuteurs natifs. Le jumelage leur offre des interactions telles qu'ils souhaitent en avoir avec leurs nouveaux concitoyens. Il semble donc que la plupart des activités de jumelage correspondent effectivement aux différents aspects de la définition d'une bonne tâche.

Quelles sont les étapes de réalisation de la tâche lors d'un jumelage? Comment intégrer les jumelages interculturels dans une séquence pédagogique au sein d'un cours de langue? Les phases de préparation, de réalisation et de retour sur la tâche présentées dans la première section se retrouvent dans les jumelages. D'ailleurs, dans le cadre d'échanges interculturels en ligne, Müller-Hartmann (2007) propose une séquence qui s'apparente à ces trois étapes: l'établissement du contact, l'établissement du dialogue et la réflexion critique. Au départ, la préparation des étudiants à la rencontre aura un impact sur le déroulement et le succès de celle-ci. Par exemple, à la suite de son expérience de jumelage entre des francophones et des finnophones, Dervin (2009) souligne que le manque de préparation des étudiants les a amenés à sous-explorer l'aspect social des rencontres et à ne pas tirer pleinement profit de tout le potentiel d'interaction et d'apprentissage que celles-ci offrent.

Dans le cadre des jumelages réalisés à l'UQAM, la phase de préparation proposée correspond à la présentation de l'activité (clarification des objectifs, déroulement, résultats attendus, esquisse de différents scénarios, difficultés anticipées, stratégies pour surmonter les difficultés). Il pourrait s'agir de l'organisation d'un repas à partager et où les groupes entrent en contact de manière relativement détendue. Dans le cadre de la réalisation de l'activité/tâche, les jumeaux se rencontrent une ou plusieurs fois pour discuter de thèmes donnés ou choisis par eux, échanger des informations, comparer des expériences. Dans la phase du retour sur la tâche (rétroaction), les participants peuvent produire un compte rendu oral ou écrit de leur expérience. À cette étape, ils sont invités non seulement à raconter ce qui s'est passé, mais aussi à réfléchir sur leur expérience et sur leurs apprentissages. Le retour sur la rencontre se prête particulièrement à l'analyse et à l'autoobservation, pour amener les étudiants à intégrer de nouvelles compétences linguistiques, pragmatiques et interculturelles.

Le tableau qui suit présente en parallèle deux exemples du cycle de la tâche : celui, plus classique, d'un exposé oral, ainsi qu'il a été mentionné en première partie de ce chapitre, et celui d'un jumelage interculturel, avec différentes possibilités aux étapes de préparation et de retour sur la tâche.

Étapes de la tâche	Exemple 1 : exposé oral en équipe	Exemple 2 : jumelage interculturel
Prétâche : préparation à la tâche	– Remue-méninges pour définir le sujet – Rencontres de planification et répartition du travail – Recherche documentaire – Préparation d'un diaporama – Répétition en équipe	– Présentation des objectifs, du déroulement et des noms des jumeaux – Lecture d'un court texte sur la rencontre interculturelle et discussion – Préparation de questions à poser à son jumeau francophone – Prise de contact : repas réunissant les deux groupes
Tâche : réalisation de la tâche	– Présentation de l'exposé oral à la classe avec support visuel	– Deux rencontres d'une heure et demie entre les jumeaux : discussions, échange d'information, comparaison d'expériences
Post-tâche : retour sur la tâche	– Préparation d'une affiche résumant la présentation – Autoévaluation par l'étudiant de sa contribution au travail d'équipe – Rédaction d'un résumé et d'un commentaire sur la présentation d'une autre équipe	– Discussion en classe sur le déroulement des rencontres, les malentendus interculturels – Rédaction du récit de la rencontre à partir de questions de réflexion liées aux objectifs

Les approches par les tâches et la perspective actionnelle insistent sur l'interaction et l'adaptation des méthodes d'enseignement et d'apprentissage au profil des apprenants. Qu'en est-il des immigrants ? Il est possible de se référer aux travaux d'Adami (2008, p. 12), qui explique que «plus les contacts interpersonnels des migrants avec des natifs sont nombreux et plus vite ils progressent [dans l'acquisition de la langue cible]».

Les jumelages permettent de répondre à certains besoins particuliers des immigrants dans leur processus d'intégration à leur société d'accueil (rencontrer des natifs ou des citoyens de longue date, acquérir des compétences sociolinguistiques et socioculturelles, créer et développer un réseau socio-professionnel). En effet, les espaces sociaux et professionnels constituent pour eux des objets d'apprentissage à part entière, au même titre que les compétences communicatives (Extramiana et De Ferrari, 2009).

Les immigrants ont pour objectif de s'intégrer socialement et professionnellement dans la société qui les a accueillis. Les rencontres de jumelage offrent un cadre relativement sécurisant vers l'atteinte de cet objectif. Une sous-tâche peut s'ajouter aux rencontres en fonction des besoins des étudiants, comme recueillir des informations clés sur le milieu scolaire, sur le système de santé ou sur le milieu professionnel visé, ou encore étendre son réseau de contacts professionnels. Il est facile de comprendre pourquoi l'information échangée et l'attention portée au sens deviennent prioritaires aux yeux de l'apprenant.

En se basant sur la perspective actionnelle, les jumelages peuvent amener les immigrants et les francophones à travailler ensemble, à réaliser des tâches ou des projets pour que la communauté universitaire et la société québécoise soient plus inclusives et qu'ultimement les francophones et les non-francophones puissent apprendre à communiquer pour mieux vivre ensemble. Un autre exemple d'application d'une tâche autour d'un thème interculturel est proposé dans le cadre d'un jumelage entre des étudiants de français en Finlande et des francophones (Dervin, 2009). Des équipes mixtes devaient préparer un exposé et répondre à des questions sur les caractéristiques des identités française et finlandaise. Afin de réussir ce projet réalisé en commun, les équipes ont collaboré, elles se sont entendues sur l'organisation et la répartition du travail, elles ont géré les tours de parole. La perspective actionnelle préconise la réalisation de tels projets en équipe où tous – locuteurs natifs et apprenants de langue – sont considérés comme des citoyens à part entière, amenés à coconstruire la société. Différents exemples de projets entre francophones et non-francophones seront présentés dans la deuxième partie de cet ouvrage.

Conclusion

L'approche par les tâches et la perspective actionnelle fournissent des référentiels pour réussir les jumelages interculturels. Ce chapitre a posé les prémisses et les grandes lignes de l'approche par les tâches en didactique des langues ainsi que de la perspective actionnelle, laquelle propose un ensemble d'orientations pédagogiques mettant l'accent sur l'intérêt d'aborder l'apprenant de langue comme un acteur social, amené à agir et à prendre sa place dans la société.

L'approche par les tâches soulève des défis dans l'enseignement d'une langue. Tous ces défis semblent s'appliquer aux jumelages interculturels : la nécessité d'un haut niveau de créativité et de dynamisme de la part de l'enseignant, la recherche et l'usage de ressources au-delà des manuels de classe traditionnels, la possibilité de résistance initiale de la part des étudiants, leur recours possible à leur langue maternelle pour contourner les difficultés, le danger que l'aisance à communiquer soit développée au détriment de l'exactitude linguistique (Hismanoglu et Hismanoglu, 2011). Relever ces défis s'avère profitable pour les apprenants puisque, en s'appuyant sur des bases tant théoriques qu'empiriques, on peut constater l'apport considérable des jumelages interculturels dans les cours de langue seconde pour immigrants.

Bibliographie

Adami, H. (2008). *L'acculturation linguistique des migrants : des tactiques d'apprentissage à une sociodidactique du français langue seconde. Migration et plurilinguisme en France*, Paris, Didier.

Auger, N. et V. Louis (2009). « CECR et dimension interculturelle de l'enseignement/apprentissage du FLE : quelles tâches possibles ? », *Le français dans le monde*, janvier, p. 102-110.

Conseil de l'Europe (2001). *Cadre européen commun de référence pour les langues – Apprendre, enseigner, évaluer*, Paris, Didier.

Coste, D. (2009). « Tâche, progression, curriculum », *Le français dans le monde*, janvier, p. 15-24.

Cuq, J.-P. (2003). *Dictionnaire de didactique du FLE et FLS*, Paris, CLE International.

Dervin, F. (2009). « Apprendre à coconstruire par la rencontre : approche actionnelle de l'interculturel à l'université », *Le français dans le monde*, janvier, p. 111-121.

Ellis, R. (2003). *Task-based Language Learning and Teaching*, Oxford, Oxford University Press.

Extramiana, C. et M. De Ferrari (2009). « Perspective actionnelle et didactique du français dits "migrants". Quelles réflexions pour quelles applications ? », dans M.-L. Lions-Olivieri et P. Liria (dir.), *L'approche actionnelle dans l'enseignement des langues. Onze articles pour mieux comprendre et faire le point*, Paris et Barcelone, Maison des langues et Difusión Français langue étrangère, p. 233-261.

Germain, C. (1993). *Évolution de l'enseignement des langues : 5000 ans d'histoire*, Paris, CLE International, coll. « Didactique des langues étrangères ».

Hismanoglu, M. et S. Hismanoglu (2011). « Task-based language teaching : What every EFL teacher should do », *Procedia – Social and Behavioral Sciences*, vol. 15, p. 46-52.

Müller-Hartmann, A. (2007). «Teacher role in telecollaboration : Setting up and managing exchanges», dans R. O'Dowd (dir.), *Online Intercultural Exchange*, Clevedon, Multilingual Matters, p. 167-191.

Nissen, E. (2011). «Variations autour de la tâche dans l'enseignement/apprentissage des langues aujourd'hui», *Alsic*, vol. 14, <http://alsic.revues.org/2344>, consulté le 30 mars 2013.

Nunan, D. (1989). *Designing Tasks for the Communicative Classroom*, Cambridge, Cambridge University Press.

Pluskwa, E., D. Willis et J. Willis (2009). «L'approche actionnelle en pratique. La tâche d'abord, la grammaire ensuite !», dans M.-L. Lions-Olivieri et P. Liria (dir.), *L'approche actionnelle dans l'enseignement des langues. Onze articles pour mieux comprendre et faire le point*, Paris et Barcelone, Maison des langues et Difusión Français langue étrangère, p. 205-231.

Puren, C. (2004). «De l'approche par les tâches à la perspective coactionnelle», *Les cahiers de l'APLIUT*, vol. xxiii, n° 1, p. 10-26.

Puren, C. (2011). «Une technologie ancienne peut-elle être rénovée ? Le cas du manuel de langue de spécialité face aux nouveaux enjeux de la perspective actionnelle», Communication présentée le 16 juin 2011 à la ixe Rencontre internationale du GERES (Groupe d'étude et de recherche en espagnol de spécialité), Université Grenoble 3, Département LANSAD.

Richer, J.-J. (2009). «Lectures du cadre : continuité ou rupture ?», dans M.-L. Lions-Olivieri et P. Liria (dir.), *L'approche actionnelle dans l'enseignement des langues. Onze articles pour mieux comprendre et faire le point*, Paris et Barcelone, Maison des langues et Difusión Français langue étrangère, p. 13-48.

Rosen, E. (2009). «Perspective actionnelle et approche par les tâches en classe de langues. Le français dans le monde», *Recherches et applications*, vol. 45, p. 487-498.

Skehan, P. (1998). *A Cognitive Approach to Language Learning*, Oxford, Oxford University Press.

Willis, J.R. (2004). «Perspectives on task-based instruction : Understanding our practices, acknowledging different practitioners», dans B. Leaver et J.R. Willis (dir.), *Task-Based Instruction in Foreign Language Education : Practices and Programs*, Washington, DC, Georgetown University Press, p. 3-44.

Chapitre 4.

CONTACT INTERGROUPE ET AIDE MUTUELLE DANS LE JUMELAGE EN TRAVAIL SOCIAL, CARRIÉROLOGIE ET FRANÇAIS LANGUE SECONDE

Ginette BERTEAU
École de travail social, Université du Québec à Montréal

Cynthia MARTINY
Département d'éducation et pédagogie, Université du Québec à Montréal

LE JUMELAGE ENTRE ÉTUDIANTS ALLOPHONES DE L'ÉCOLE DE LANGUES et étudiants en travail social et en carriérologie à l'UQAM se caractérise par des échanges en groupe restreint où la réciprocité est au cœur de l'action, permettant à ces étudiants d'apprendre l'un de l'autre, tant sur le plan personnel que dans leurs domaines d'apprentissage respectifs. Du côté de la carriérologie et du travail social, ce jumelage est rattaché aux cours obligatoires sur le travail de groupe dans lesquels, selon leur discipline, les étudiants apprennent les rudiments du travail de groupe. Les contenus s'enseignent de façon intégrée en amenant les étudiants à concevoir, à animer et à évaluer une courte intervention de groupe. Plus précisément, ces étudiants doivent tenir compte des besoins d'une population spécifique et réaliser une intervention favorable à l'aide mutuelle dans un groupe.

Les étudiants allophones ont, quant à eux, des objectifs sur le plan de la compréhension, de la lecture, de la communication orale et écrite en français. Pour Kleinmuntz (2011) et Saino (2003), l'apprentissage d'une langue seconde se déroulant dans un contexte de groupe-classe fournit aussi une occasion pour les personnes immigrantes de partager de l'information, de résoudre des problèmes quotidiens et de vivre un sentiment de communauté. L'utilisation du travail de groupe dans ce contexte contribue à établir des ponts entre étudiants de cultures et de langues différentes et incite au soutien social. Le contexte scolaire devient donc favorable au rapprochement entre «ethnies» différentes qui n'ont pas nécessairement tendance à se côtoyer.

Ce chapitre expose le cadre conceptuel de ce jumelage à partir de la pédagogie humaniste, de l'apprentissage expérientiel, de la théorie du contact intergroupe et du travail de groupe axé sur l'aide mutuelle. Des liens entre ces éléments conceptuels et l'expérience de jumelage précéderont la conclusion.

Cadre conceptuel

Les professeurs responsables planifient l'expérience de jumelage dans le cadre de leur cours. Les étudiants francophones et allophones ont à réaliser en groupe restreint des rencontres d'échange. Le but est de faciliter l'établissement de relations égalitaires et harmonieuses, l'émergence d'un système d'aide mutuelle et le rapprochement interculturel entre les participants. Le processus de groupe mis en place active des relations réciproques, stimule un changement d'attitudes et de comportements, facilite les sentiments d'inclusion, de sécurité et de confiance, créant ainsi des conditions propices à briser l'ethnocentrisme. L'ethnocentrisme est la tendance chez un individu à surévaluer les caractéristiques de son endogroupe, à mépriser celles de l'exogroupe et à croire que l'endogroupe est supérieur à l'exogroupe (Bourhis et Carignan, 2007). L'approche pédagogique qui accompagne ce projet de groupe est de tendance humaniste.

Pédagogie humaniste

Plusieurs milieux universitaires en Amérique du Nord optent pour une pédagogie humaniste, qui focalise sur le développement et la réalisation de la personne dans sa totalité. Dans ce courant éducatif, l'enseignant se perçoit comme un facilitateur d'apprentissage, et non comme le seul expert des connaissances dans le groupe-classe. L'enseignant a pour rôle d'encourager l'ouverture, l'inclusion et l'expression de soi. Les étudiants sont invités à devenir des coéducateurs pour que chacun puisse apprendre de l'autre. La mise en œuvre des apprentissages se réalise par des expériences similaires aux situations réelles et aux perceptions internes dans l'ici et maintenant. Les stratégies pédagogiques visent l'actualisation du potentiel des étudiants, qui sont perçus comme les principaux agents de leur développement (Rogers, 1985). La reconnaissance, par cette approche pédagogique, du caractère positif de l'être humain ainsi que la mise sur pied d'un climat de sécurité et de collaboration facilitant le dialogue sont particulièrement appropriées pour atteindre les objectifs d'apprentissage poursuivis par les jumelages.

La philosophie de la pédagogie humaniste permet aux étudiants de se découvrir des compétences professionnelles et stimule leur créativité. En outre, elle prône une diminution de la distance hiérarchique entre professeur et étudiants, ouvrant la voie aux possibilités de rapports égalitaires. La mise en application de cette pédagogie incite les participants des groupes à se sentir en confiance, à prendre des risques et à se donner droit à l'erreur. Une des conséquences observées chez les groupes de jumelage est l'occasion de vivre une situation communicationnelle authentique en groupe, notamment en ce qui concerne le partage d'expériences personnelles liées à des vécus similaires (étudiants, parents, travailleurs et immigrants).

Apprentissage expérientiel

L'apprentissage expérientiel permet d'opérationnaliser les principes de la pédagogie humaniste. Il correspond à une méthode d'enseignement qui fait de l'expérience un contenu essentiel de la situation éducative. L'ensemble des apprentissages des expériences passées est valorisé comme base d'apprentissage ultérieur. Selon Kolb (1984), une personne apprend par l'entremise de la découverte en quatre étapes (qui peuvent se répéter continuellement) : la participation à l'expérience, la réflexion sur celle-ci, la conceptualisation intégrant les réflexions et l'expérimentation de cette conceptualisation. Enfin, l'apprentissage expérientiel rend les étudiants actifs dans leurs apprentissages.

L'apprentissage expérientiel est reconnu comme étant la méthode pédagogique la plus adéquate pour l'apprentissage du travail de groupe (Humphrey, 2014). Les apprentissages en groupe diffèrent des apprentissages sur le travail de groupe. En effet, il ne suffit pas de lire sur le travail de groupe ou de suivre les consignes théoriques pour devenir habile en la matière. Apprendre le travail de groupe exige d'expérimenter le processus de groupe et d'y être confronté.

Avant d'aller plus loin, définissons ce qu'est le travail de groupe. Aussi appelé intervention de groupe dans le domaine de la relation d'aide, le travail de groupe est :

> Un processus d'aide auprès d'un groupe restreint (5 à 20 personnes) qui s'appuie sur les propriétés actives présentes à l'intérieur du groupe comme élément de stimulation du changement personnel, de groupe et social. C'est une action consciente et volontaire animée par un professionnel, utilisant une démarche structurée ou non, qui vise à aider les membres et le groupe à satisfaire leurs besoins socioémotifs, à réaliser leurs buts et à acquérir du pouvoir dans le respect des droits et responsabilités de chacun. Cette action repose sur les théories, les concepts, les méthodes, les habiletés et les techniques particulières à ce mode d'intervention (Berteau, 2006, p. 26).

Selon l'Association for Specialists in Group Work (ASGW), il importe que la formation au travail de groupe dans une perspective interculturelle inclue l'exploration des différentes visions du monde, des biais et des systèmes de croyances multiples (Wilson, Rapin et Haley-Banez, 2004). L'expression de ces éléments devant un groupe augmente la sensibilisation des apprenants aux différents aspects de l'interculturalité. Selon Burnham, Mantero et Hooper (2009), par l'apprentissage expérientiel les apprenants se rendent compte du rôle des processus de socialisation dans les groupes d'appartenance, de l'importance de la place des valeurs et de l'unicité de chacun ainsi que de la diversité des styles et choix de vie.

L'apprentissage expérientiel engage l'étudiant dans la mise en application des apprentissages sur plusieurs plans : 1) utilisation de ses habiletés de communication ; 2) démonstration des connaissances selon son domaine d'études ; 3) développement de ses compétences professionnelles ; 4) éveil à une conduite éthique ; et 5) sensibilisation à ses attitudes. De plus, des apprentissages non planifiés ou recherchés, comme la solution à un problème personnel, se font lors du travail de groupe. En fait, l'ensemble de la démarche facilite et consolide l'intégration de plusieurs apprentissages.

Les étudiants en travail social et en carriérologie étudient la planification, la conceptualisation, la réalisation et l'analyse, puis l'évaluation des groupes. Ils abordent des sujets tels que le fonctionnement et le développement des groupes, les interventions en groupe et les conflits intragroupes. En général, les buts, structures, modes de fonctionnement, atmosphères, types de leadership, prises de décision, perceptions, partages de sentiments et d'expériences sont discutés avant le jumelage. Pour ces étudiants, la situation de jumelage est une situation éducative qui concrétise et élargit leurs connaissances et leurs habiletés sur le travail de groupe. Autrement dit, dans ce jumelage structuré en groupe restreint, les étudiants pourront vivre de façon expérientielle un processus de groupe et des apprentissages. Le tout s'actualisera à travers le contact intergroupe.

Théorie du contact intergroupe

La théorie du contact intergroupe (Allport, 1954 ; Pettigrew, 1998) considère que le contact entre groupes sociaux différents en matière d'ethnicité, de nationalité ou de religion produit des effets positifs sur la réduction des préjugés et de stéréotypes (voir les définitions au chapitre 1 du présent ouvrage). Quatre conditions doivent être présentes pour y parvenir : l'égalité de statuts entre les membres du groupe, la poursuite de buts mutuels, la présence d'un sentiment d'interdépendance entre les groupes et l'assurance d'un soutien de la part de l'environnement dans lequel se déroule l'action. Pettigrew (1998) en précise une cinquième, celle de la possibilité de développer un lien d'amitié potentiel.

Dans l'expérience en cause, quatre de ces cinq conditions sont réunies. Tous les participants ont un statut égal, celui d'étudiants. Ils ont un but commun, celui d'avancer dans leurs programmes d'études, et sont interdépendants parce qu'ils ont besoin les uns et des autres pour atteindre les objectifs de leur cours. Le jumelage interculturel nécessite aussi le soutien de l'environnement : l'université, les départements d'attache et les enseignants des cours offrent de multiples services et ressources pour répondre aux besoins exprimés lors de la mise sur pied des groupes et de la réalisation du projet. Enfin, sans que cela soit une exigence du jumelage, il pourrait être possible que des amitiés se développent entre certains membres (cinquième condition du contact intergroupe), mais, dans tous les cas, les étudiants des groupes de jumelage agrandiront leur réseau de contacts et de ressources.

Pettigrew (1998) ajoute à ces conditions trois stratégies pour maximiser les effets positifs du contact intergroupe au-delà de la situation de rencontre. La première propose de constater les similitudes en apprenant sur l'autre groupe. La seconde suggère de faire place aux différences sans jugement ou justification, en échangeant sur les spécificités culturelles et en s'y intéressant. Quant à la troisième stratégie, elle consiste à adopter une nouvelle représentation de l'exogroupe en étant plus inclusif. Puis, toujours selon Pettigrew (1998), les attitudes des uns et des autres seront révisées, avec comme conséquence possible la création de liens affectifs positifs pouvant conduire à l'amitié.

Une étude longitudinale échelonnée sur six ans de Rodenborg et Huynh (2006) auprès d'un groupe de dialogue interracial et interculturel illustre les bienfaits du contact intergroupe. Cette étude a mis en évidence la présence de facteurs tels que l'amitié potentielle, l'ouverture vers des stratégies de facilitation et l'utilisation de celles-ci. De plus, grâce à des contacts variés dans des contextes multiples, la diminution d'attitudes négatives telles que les préjugés et les stéréotypes a pu être relevée. Le fait d'avoir établi un contact intergroupe aide aussi à prendre conscience de son propre groupe d'appartenance. Les normes sociales et les coutumes du groupe d'appartenance envisagées comme seules façons de voir le monde pourront être remises en question pour donner lieu à de nouveaux points de vue qui pourront remodeler la vision que chacun a de son groupe d'appartenance, et proposer une perspective moins «provinciale» (Pettigrew, 1998).

Enfin, mentionnons que le travail de groupe axé sur l'aide mutuelle était le modèle d'intervention utilisé dans cette expérience. Voyons maintenant l'apport du travail de groupe dans le jumelage interculturel.

Jumelage interculturel et travail de groupe axé sur l'aide mutuelle

Selon les résultats de l'étude québécoise de Charbonneau et Vatz-Laaroussi (2003) concernant l'expérience de 75 jumelages dyadiques entre personnes d'immigration récente et des résidents locaux, les jumelages sont des sources d'aide mutuelle dont les retombées sont bénéfiques à l'intégration des personnes immigrantes. Dans cette étude, le concept d'aide mutuelle est décrit non pas comme l'égalité dans l'échange interpersonnel, mais comme la possibilité de donner et de recevoir à l'intérieur de la dyade. L'aide mutuelle dans une perspective de jumelage interculturel renvoie aux relations interpersonnelles où les expériences et les connaissances de chaque personne sont partagées et servent à l'enrichissement mutuel. La possibilité de créer des liens, de partager des intérêts et de ressentir une curiosité réciproque revêt une importance particulière. Selon cette étude, l'aide mutuelle se manifeste à travers le partage des cultures, l'échange d'informations et les possibilités de pratiquer la langue du pays d'accueil.

Ces caractéristiques se retrouvent à l'intérieur du travail de groupe. Ce mode d'intervention est de plus en plus reconnu pour sa pertinence avec les populations immigrantes (Stark-Rose, Lingston-Sacin, Merchant et Finley, 2012). Être capable de partager son expérience de nouvel arrivant avec des pairs semble apporter un soutien social qui permet de diminuer les facteurs de stress associés à l'émigration (Rayle, Sand, Brucato et Ortega, 2006). L'hétérogénéité fréquente dans ces groupes facilite les discussions autour de privilèges et de manifestations d'oppression (Hays, Arredondo, Gladding et Toporek, 2010) et permet le développement des compétences interculturelles, dont plus particulièrement l'empathie culturelle (Ridley, 2005).

L'aide mutuelle étant un fondement du travail de groupe, il importe de s'y arrêter et d'explorer son apport dans le jumelage interculturel de groupe. Gitterman et Shulman (2005) décrivent l'aide mutuelle à l'intérieur d'un groupe comme un processus où chaque membre offre et reçoit de l'aide, ce qui permet de vivre ses préoccupations de vie comme étant universelles, de réduire le sentiment d'isolement et de stigmatisation, puis d'apprendre à partir de visions diversifiées. L'aide mutuelle se développe non seulement dans un climat de confiance et de sécurité, par des gestes d'encouragement et de sollicitude, et en se fondant sur un sentiment d'appartenance indécelable, mais aussi à la suite de débats intenses impliquant des affects et d'une recherche de compréhension des différences.

Steinberg (2008) a élaboré un modèle de travail de groupe axé sur l'aide mutuelle. Inspiré par une culture démocratique et humaniste, ce modèle exige que l'action se fonde sur l'échange des forces de chaque membre du groupe, les ressources de chacun étant ainsi maximisées afin qu'il puisse aider les autres tout en s'aidant lui-même, ce qui lui permettra de reprendre confiance dans son potentiel. Le groupe devient un lieu privilégié de soutien mutuel où le membre peut être accepté et compris par des pairs sans se sentir jugé, et où l'image de soi perçue comme déviante peut s'amenuiser. Ce modèle place les membres du groupe en position d'experts du contenu, alors que le facilitateur a pour mandat d'aider le groupe à développer son potentiel d'aide mutuelle. Une finalité souhaitée par ce modèle est que ces divers apprentissages puissent se transférer à l'extérieur du groupe et dans d'autres contextes.

Le système d'aide mutuelle dans un groupe s'actualise par l'émergence de neuf phénomènes. Cinq d'entre eux sont plus présents dans les groupes de jumelage ; les quatre autres (soutien mutuel, demandes mutuelles, résolution de problèmes individuels et force du nombre) sont moins facilement repérables vu la courte durée de l'expérience. Les définitions utilisées ici proviennent d'une synthèse réalisée par Berteau et Warin (2012).

1. *Partage d'informations et d'idées* – Les membres d'un groupe qui vivent des situations similaires partagent des valeurs, des croyances, des idées, des informations pouvant être utiles au groupe pour qu'il atteigne ses buts. Ce phénomène est l'un des plus actifs à l'intérieur du jumelage. Par l'échange d'informations, les nouveaux arrivants peuvent combler leur besoin de renseignements au sujet de la société d'accueil, diminuer leur anxiété et devenir des ressources pour leurs pairs, puisque déjà, par leur expérience de vie au Québec, ils ont accumulé des connaissances. Ils peuvent ainsi faire le point pour mieux continuer. De leur côté, les étudiants francophones prennent conscience des aspects tacites de leur culture et mettent en application les connaissances acquises dans leur parcours universitaire.

2. *Processus d'échanges* – Dans un contexte interculturel, travailler avec un modèle d'aide mutuelle veut dire apprivoiser et apprécier, dès le début du groupe, la richesse de la diversité des visions du monde, des cultures et des coutumes des uns et des autres. Ce phénomène est caractérisé par l'expression d'émotions, le débat d'idées et d'opinions donnant l'occasion aux membres de se révéler, d'entendre un autre son de cloche dans un climat de collaboration et de confrontation où les divergences d'opinions peuvent évoluer librement et en toute sécurité.

   Anderson (2007) parle plutôt de processus dialectique dans un groupe de diversité culturelle, qui aurait pour effet de modifier certaines perceptions, attitudes et émotions. Ce processus contribue, selon lui, à traquer les ennemis de l'humanité, c'est-à-dire les stéréotypes, la discrimination, les préjugés, l'oppression et la haine, phénomènes qui font souvent obstacle à l'intégration des personnes immigrantes parmi les résidents locaux.

   Souvent, les groupes de jumelage sont témoins de confrontations de points de vue sur des sujets prêtant à controverse, tels que l'éducation des enfants, les relations hommes-femmes et la discrimination à l'emploi.

3. *Tous dans le même bateau* – Faire part de ses préoccupations conduit les membres du groupe à prendre conscience qu'ils ne sont pas les seuls à éprouver certains sentiments ou besoins et qu'ils vivent des situations semblables. Cette prise de conscience favorise l'inclusion, stimule le potentiel d'aide mutuelle et facilite les apprentissages respectifs, les uns par rapport à la langue et les autres par rapport à leur savoir-faire en travail de groupe. L'apparition de ce dernier phénomène permet un rapprochement interculturel. À titre d'exemple, dans un des groupes de jumelage, les participants ont constaté, peu importe leur appartenance culturelle, leur besoin commun et imminent de trouver un emploi à la fin de leur trimestre, ce qui a renforcé la cohésion du groupe et la perception des participants qu'ils étaient dans le même bateau.

4. *Discussion des sujets tabous* – Grâce à cette proximité, le groupe en tant que microsociété véhicule des sujets tabous, des thèmes socialement difficiles à aborder et liés à sa raison d'être comme groupe. Ces sujets normalement jugés inacceptables demandent du courage, mais amènent le groupe à entamer un travail en profondeur. C'est ainsi que les étudiants des deux sous-groupes abordent des questions telles que les préjugés existant au sujet des immigrants ou de la société d'accueil, ou encore l'homosexualité comme raison d'immigration.

5. *Expérimentation de nouvelles façons de faire* – Le groupe devient un lieu sécuritaire favorable à l'essai d'autres modes de communication, d'interactions et de façons de faire et d'être, comme l'expérimentation des codes culturels de la société d'accueil et le développement des compétences interculturelles.

Conclusion

Ce chapitre met en perspective la proximité des éléments du cadre conceptuel. Tous misent sur un but commun, l'égalité entre les membres, la reconnaissance de leur interdépendance et des ressources de chacun, l'importance de l'aide mutuelle, de même que la richesse de la diversité et de la spécificité de l'autre et de son apport à la société. Cela permet de croire que le jumelage interculturel réalisé en groupe, tel qu'il est conçu à l'UQAM, est un pas vers le rapprochement interculturel et le développement d'une communauté inclusive universitaire et sociétale.

Selon cette façon de les concevoir, les jumelages interculturels favorisent les apprentissages sur de multiples aspects. Sur le plan de la sensibilité interculturelle, les étudiants y acquièrent une plus grande aisance face aux personnes différentes d'eux. Ils comprennent les influences de la culture sur les relations interpersonnelles et s'y intéressent davantage. On peut présupposer que les barrières s'estompent. La curiosité ainsi développée sème le désir d'explorer d'autres visions du monde et, à la limite, soulève chez l'individu des questionnements sur sa propre culture. Les membres du groupe élargissent aussi leur registre multidisciplinaire, puisqu'en plus de venir de pays différents ils appartiennent à des corps professionnels multiples. Le choix de l'apprentissage expérientiel permet donc ici d'exposer les étudiants à une diversité de situations de vie. Cette expérience pour le moins confrontante les amène à réfléchir au-delà des objectifs des cours concernés, les obligeant à dépasser les connaissances théoriques pour une application de celles-ci dans l'ici et maintenant en contexte réel.

C'est donc dire que la participation à ce jumelage développe les compétences personnelles et professionnelles des étudiants de carriérologie, de travail social et de langue. De plus, les étudiants de l'École de langues développent leurs compétences sur le plan langagier. Pour les étudiants en carriérologie et en travail social, l'apprentissage de la planification, de la conceptualisation, de la réalisation et de l'évaluation d'une intervention de groupe est un acquis important. Mais l'apprentissage le plus significatif dans ce jumelage interculturel reste, pour les étudiants, d'avoir pu vivre une expérience positive de relations égalitaires et de partage de pouvoir comme facilitateur au sein d'un groupe interculturel, tout en voyant s'accroître leur tolérance à l'ambiguïté.

Bibliographie

Allport, G.W. (1954). *The Nature of Prejudice*, Reading, Addison-Wesley, 537 p.

Anderson, D. (2007). «Multicultural group work: A force for developing and healing», *The Journal of Specialist of Group Work*, vol. 32, n° 3, p. 224-244.

Berteau, G. (2006). *La pratique de l'intervention de groupe: stratégies, perceptions et enjeux*, Québec, Presses de l'Université du Québec.

Berteau, G. et L. Warin (2012). *Définition des phénomènes d'aide mutuelle dans l'aide mutuelle comme dispositif pédagogique en travail social: leviers et freins*, Rapport de recherche.

Bourhis, R. et N. Carignan (2007c). «Glossaire relié à l'explication du préjugé et de la discrimination», émission *Enjeux*, Montréal, Société Radio-Canada, p. 29-38.

Burnham, J.J., M. Mantero et L.M. Hooper (2009). «Experiential training: Connecting school counselors-in-training, English as a second language (ESL) teachers, and ESL students», *Multicultural Counseling and Development*, vol. 37, p. 1-14.

Charbonneau, J. et M. Vatz-Laaroussi (2003). «Twinning projects between immigrant families and Quebecois families: Volounteer work, mutual aid or interventions», *JIMI/ RIMI*, vol. 4, n° 4, p. 453-470.

Gitterman, A. et L. Shulman (2005). *Mutual Aid Groups, Vulnerable and Resilient Populations, and the Life Cycle*, 3e éd., New York, Columbia University Press.

Hays, D.G., P. Arredondo, S.T. Gladding et R.L. Toporek (2010). «Integrating social justice in group work: The next decade», *The Journal for Specialists in Group Work*, vol. 35, n° 2, p. 177-206.

Humphrey, K.R. (2014). «Lessons learned from experiential group learning», *Social Work with Groups*, vol. 37, n° 1, p. 61-72.

Kleinmuntz, J. (2011). «On becoming a group worker», *Social Work with Groups*, vol. 34, n°s 3-4, p. 219-232.

Kolb, D.A. (1984). *Experiential Learning: Experience as the Source of Learning and Development*, Englewood Cliffs, Prentice Hall.

Pettigrew, T.F. (1998). «Intergroup contact theory», *Annual Review of Psychology*, vol. 49, p. 65-85.

Rayle, D.A., J.K. Sand, T. Brucato et J. Ortega (2006). «The "Comadre" Group Approach: A wellness-based group model for monolingual Mexican women», *The Journal for Specialists in Group Work*, vol. 31, n° 1, p. 5-24.

Ridley, C.R. (2005). *Overcoming Unintentional Racism in Counseling and Therapy. A Practitioner's Guide to Intentional Intervention*, 2e éd., Thousand Oaks, Sage.

Rodenborg, N. et N. Huynh (2006). «On overcoming segregation: Social work and intergroup dialogue», *Social Work with Groups*, vol. 29, n° 1, p. 27-44.

Rogers, C. (1985). «Toward a more human science of the person», *Journal of Humanistic Psychology*, vol. 25, n° 4, p. 7-24.

Saino, M. (2003). «A new language for groups: Multilingual and multiethnic groupwork», *Social Work with Groups*, vol. 26, n° 1, p. 69-82.

Stark-Rose, R.M., T.M. Lingston-Sacin, N. Merchant et A.C. Finley (2012). «Group counseling with United States racial minority groups: A 25-year content analysis», *The Journal for Specialists in Group Work*, vol. 37, n° 4, p. 277-296.

Steinberg, D. (2008). *Le travail de groupe. Un modèle axé sur l'aide mutuelle pour aider les personnes à mieux s'entraider*, Québec, Les Presses de l'Université Laval.

Wilson, F.R., L.S. Rapin et L. Haley-Banez (2004). «How teaching group work can be guided by foundational documents: Best practice guidelines, diversity principles, training standards», *The Journal for Specialists in Group Work*, vol. 29, n° 1, p. 19-29.

Chapitre 5.

APPROCHE ORIENTANTE ET JUMELAGE EN CARRIÉROLOGIE

Cynthia MARTINY
Département d'éducation et pédagogie, Université du Québec à Montréal

DE NOMBREUX DÉFIS SE POSENT AU QUÉBEC, DONT LA DÉNATALITÉ et le vieillissement de la population, l'intégration des immigrants, les nombreux départs à la retraite des travailleurs expérimentés, les difficultés de recrutement d'une main-d'œuvre qualifiée suffisante pour soutenir les projets sociaux et demeurer concurrentiel, de même que la rétention des travailleurs et des immigrants. Entre 2006 et 2010, le volume des admissions au Québec se situe à 238 553 immigrants, soit une moyenne annuelle de 47 711 nouveaux arrivants (Turcotte, 2012). La majorité de ceux qui sont admis est constituée de jeunes de moins de 35 ans, travailleurs qualifiés, scolarisés, se destinant au marché du travail et déclarant connaître le français au moment de leur arrivée. Puisqu'environ 21 % d'entre eux ne connaissent ni le français ni l'anglais, ces immigrants, qui ont déjà reçu une formation universitaire dans leur pays d'origine et pratiqué leur profession, comprennent la nécessité de se tourner vers l'université pour apprendre le français afin d'intégrer le marché du travail.

Il est ainsi permis de constater que les besoins de main-d'œuvre de la société québécoise et les motivations d'intégration linguistique et économique des immigrants semblent coïncider. Ce chapitre définit l'approche orientante qui propose, selon les carriérologues, une réponse commune aux besoins de la société et des personnes immigrantes. L'historique de cette approche, ses grands principes, les liens avec les jumelages interculturels, sa pertinence, ses retombées et quelques perspectives d'avenir sont présentés dans les pages qui suivent.

Historique de l'approche orientante

L'approche orientante provient des États-Unis, et son émergence dans les années 1970 découle d'un constat, celui de l'inefficacité de la relation d'aide en face à face pour répondre aux besoins d'orientation des élèves dans les écoles américaines. Par conséquent, les services sont restructurés en projets éducatifs visant le développement de la vie-carrière et l'assistance aux individus afin qu'ils puissent acquérir les compétences nécessaires (Gysbers et Henderson, 2012). Ce nouveau mode de fonctionnement représente un changement majeur par rapport au rôle des conseillers d'orientation scolaire habitués à rencontrer individuellement les étudiants dans leurs bureaux. Par la suite, le développement de carrière sera mis en œuvre comme programme éducatif dans le curriculum scolaire.

Au Québec, les recommandations du rapport Parent favorisent l'éducation à la carrière dans les écoles secondaires. Souvent présentée comme une série de cours sur les choix de carrière, axés sur des connaissances à assimiler au lieu d'être un processus à entreprendre, cette approche a été abandonnée (Cournoyer, 2014). Fondé sur le concept selon lequel la carrière constitue un besoin fondamental qui est en évolution tout au long de la vie, le développement de carrière est un «processus d'acquisition des connaissances, compétences et attitudes nécessaires pour explorer, découvrir, planifier et prendre des décisions, pas uniquement sur l'éducation, la formation et les emplois, mais aussi sur la gestion et la qualité de la vie-carrière» (Bezanson, Hopkins et O'Reilly, 2014, p. 534). Depuis, les théories de développement de carrière ont évolué jusqu'à devenir l'approche orientante, qui a permis de proposer des programmes de plus en plus sophistiqués. Cette approche vise à ce que les individus apprennent comment exploiter leurs expériences de vie, présentes et passées, en fonction de leurs aspirations.

Une autre des finalités de cette approche consiste à rendre le développement de carrière présent dans l'esprit des individus et à élargir leurs horizons vocationnels de sorte qu'ils établissent des liens entre le monde éducatif et celui du travail, rendant ainsi les études plus personnelles, signifiantes et pertinentes. Le but se révèle alors d'assurer des liens entre les acquis obtenus lors des activités rémunérées (le travail) et ceux tirés des activités non rémunérées (la tâche parentale, le bénévolat et autres). De plus, l'approche orientante a pour objectif de favoriser la réussite scolaire et professionnelle en amenant des prises de décisions éclairées et en donnant un sens aux apprentissages et à la vie en général.

Principes d'infusion, de collaboration et de mobilisation

L'approche orientante s'appuie sur trois principes de base : l'infusion, la collaboration et la mobilisation (Pelletier *et al.*, 2004).

Infusion

Le principe d'infusion évoque l'idée de relier la matière enseignée dans les classes aux aspects de la carrière : le développement de carrière se fond ainsi dans le programme scolaire, comme le thé qui s'infuse dans l'eau. Les enseignants ont plusieurs méthodes à leur disposition pour combiner les objectifs d'apprentissage de la matière enseignée avec les objectifs du développement à la carrière. Ils peuvent donc 1) faire référence à des professions en lien avec le contenu du cours ; 2) inviter des conférenciers en classe ou à l'école ; 3) présenter la biographie des théoriciens, qui sont des professionnels, afin de démontrer que leurs choix de vie sont influencés par leur carrière ; 4) confronter les connaissances abordées en classe avec celles des apprenants afin de les aider à élargir leur vision du monde du travail. L'idée est alors d'intégrer au contenu des cours des références directes à la carrière afin de contextualiser la matière enseignée et de rendre les cours plus pertinents, ce qui contribue, par conséquent, au succès des étudiants.

Collaboration

Tandis que l'infusion s'arrime aux matières enseignées et se passe souvent à l'intérieur de la classe, la collaboration se vit plutôt à l'extérieur. Il s'agit d'un rapprochement entre le milieu scolaire, le marché de travail et la communauté. Par exemple, les étudiants peuvent faire des visites guidées (en présence ou de façon virtuelle) dans les entreprises, participer aux salons de l'emploi, rechercher des mentors dans leur domaine, effectuer des stages ou des observations de travail d'un jour. Ils peuvent également s'entretenir avec des professionnels ou participer à des journées-carrière, ou, encore, rencontrer des travailleurs à travers leurs activités sportives et récréatives, par exemple dans un aréna, pendant une discussion entre des parents regardant leurs enfants qui jouent au hockey ou à l'occasion d'une activité de collecte de fonds.

Le principe de collaboration vise à multiplier les alliances, les sources de stimulation et les réseaux par la participation à des activités communautaires ou de travail (dans les commerces, les organismes publics et parapublics). Le contact entre des étudiants et des travailleurs permet de vérifier les besoins des employeurs, de valider l'intérêt des emplois considérés et de comprendre des codes sociaux liés aux emplois ciblés. De plus, la collaboration augmente les contacts avec le monde du travail par l'intermédiaire d'une variété d'activités de la vie active qui poussent les étudiants à définir et à articuler leurs besoins d'apprentissage et qui leur permettent d'imaginer l'avenir. En somme, ces activités aident les étudiants à élaborer des stratégies plus précises afin de mieux réaliser leurs projets professionnels.

Le principe de la collaboration vise à améliorer la communication entre les entreprises, les travailleurs, les consommateurs et les étudiants. Par ces rencontres, les étudiants peuvent par exemple s'informer des changements à venir dans les milieux de travail. Les employeurs, quant à eux, ont intérêt à mieux connaître le monde des étudiants, des futurs travailleurs, pour adapter leurs pratiques de recrutement, les moyens de rétention de leur main-d'œuvre et les façons d'assurer la qualité de vie au travail. Certaines entreprises pourraient, à la suite de leurs contacts avec les étudiants, s'ouvrir davantage sur le monde.

Il est possible d'imaginer que certains pourraient même repenser leurs exigences de formation et de perfectionnement des futurs employés. Les entreprises qui profitent de la collaboration bénéficient d'une publicité peu coûteuse et améliorent du même coup leur image. De plus, la collaboration rend le travail plus humain, parce qu'elle augmente le sentiment d'appartenance et la fierté du personnel, ce qui contribue au développement de leur communauté.

Mobilisation

Le principe de la mobilisation renvoie à l'implication des étudiants. Leur participation aide à déterminer et à vérifier la cible à atteindre. Les activités sont stimulantes, intéressantes et tendent à responsabiliser les participants pour qu'ils puissent s'investir dans leur avenir. De plus, les étudiants deviennent conscients que leur vie-carrière est en constante évolution. Cet engagement fournit aux étudiants le vocabulaire indispensable pour nommer les compétences qu'ils acquièrent et pour décrire l'emploi de leur choix. L'infusion et la collaboration servent à mobiliser la capacité à lier des connaissances acquises lors des apprentissages universitaires à leurs expériences antérieures de manière à anticiper leurs applications dans un contexte de travail. De cette façon, l'insertion socio-professionnelle est conçue comme un processus cumulatif comportant des étapes à franchir. Par la suite, les étudiants prennent en considération ces contextes pour construire des stratégies d'insertion et passer à l'action. L'une de ces stratégies concerne la réussite scolaire : l'approche orientante produit un sentiment d'efficacité et de pouvoir sur l'environnement, donnant lieu à une meilleure estime de soi, ce qui est mobilisant. Quand la portée des apprentissages sur l'avenir est mieux connue, la motivation aux études augmente (Pelletier *et al.*, 2004).

En principe, par l'approche orientante, les conditions idéales de l'intégration sont mises en place. Ainsi, l'ensemble des facteurs personnels, institutionnels et culturels en lien avec l'accès au marché du travail est en interaction. Il faut toutefois souligner qu'il s'agit d'un défi de taille, car les établissements scolaires ne sont pas suffisamment outillés pour que les futurs travailleurs y acquièrent toutes les compétences nécessaires à leur réussite professionnelle. Les changements constants du marché du travail forcent la diversité, l'innovation et l'ajustement des approches pédagogiques. Le développement de la carrière d'une personne fait appel à la contribution de la communauté entière en requérant la participation autant des acteurs du marché du travail que de ceux du milieu scolaire. C'est dire que, pour favoriser l'approche orientante, il faut du leadership, des ressources matérielles, humaines et financières, mais surtout l'engagement de tous.

Approche orientante et jumelages

À l'UQAM, l'approche orientante sert d'appui au projet de jumelages interculturels entre les carriérologues francophones du Département d'éducation et pédagogie et les non-francophones de l'École de langues. En effet, le projet suscite l'implication de nombreuses personnes (professeurs, maîtres de langue, chargés de cours et étudiants d'origines et de domaines d'études variés) et de plusieurs organisations (services, écoles, organismes et départements). Avec cette mise en œuvre de l'approche orientante, il est possible de dégager dans ce projet des perspectives d'avenir prometteuses pour tous les participants.

Les étudiants diplômés d'un baccalauréat en développement de carrière sont de plus en plus appelés à jouer un rôle mobilisateur au sein des systèmes scolaires par l'implantation de l'approche orientante. Pour jouer ce rôle, ils apprennent, à l'intérieur de leur programme, quels sont les divers aspects et outils de cette approche. Par exemple, les étudiants sont informés du fonctionnement général du système éducatif québécois et de son impact sur le développement de carrière des usagers. Ils voient comment mettre sur pied et réaliser un projet d'exploration orientante pour des apprenants. Ce genre de projet vise l'approfondissement d'une certaine connaissance de soi par le recours à des activités, des outils et des stratégies éducatives. En outre, les étudiants sont formés à intégrer dans leurs interventions des connaissances en développement vocationnel, en information scolaire et professionnelle, en counseling de carrière, de même qu'en psychologie de la personnalité et de l'identité. De plus, ils sont appelés à démontrer une certaine sensibilité face aux enjeux de la diversité en contexte pluriethnique. En effet, les étudiants en développement de carrière doivent combiner leurs compétences en tant que mobilisateurs de l'approche orientante avec une sensibilité interculturelle, et cela, dans le cadre du projet de jumelages interculturels. Il leur est demandé de collaborer avec l'École de langues pour offrir leurs services d'aide, soit en animant des groupes, en présentant des exposés dans les classes sur les thèmes liés à l'insertion professionnelle ou en participant à des rencontres de counseling carriérologique.

En ce qui concerne la diversité culturelle, être sensible signifie comprendre la vision du monde des personnes culturellement différentes et être aussi conscient de ses propres présupposés, valeurs et filtres culturels.

Pertinence de l'activité

Les premiers contacts des nouveaux arrivants avec la société québécoise se faisant souvent par le biais du système scolaire primaire, secondaire, collégial et universitaire, les étudiants en développement de carrière sont sans aucun doute les personnes idéales pour initier les étudiants immigrants de l'École de langues aux us et coutumes de la société québécoise dans le cadre des jumelages interculturels. En outre, avec les jumelages, les étudiants peuvent combiner leurs compétences de counseling de carrière et de counseling interculturel avec les activités de sensibilisation à la diversité ethnoculturelle. Ainsi, il est demandé aux étudiants en développement de carrière de rencontrer des immigrants apprenant le français pour les accompagner dans leur insertion socioprofessionnelle au Québec. Ces rencontres permettent de familiariser les étudiants avec des situations de travail qu'ils pourraient éventuellement vivre. Les jumelages sont l'occasion d'aider les étudiants à valider leur choix professionnel en tant que conseillers auprès des personnes immigrantes. Il faut ajouter que les étudiants enregistrent et analysent leurs interventions, tiennent un dossier, reçoivent des rétroactions autant des étudiants pairs que de leur professeur. Cet exemple illustre le concept de collaboration dans l'approche orientante. Bien que cette approche soit mobilisante et enrichissante, elle cause un peu d'anxiété chez ces étudiants (Burnham, Mantero et Hooper, 2009).

Chez les futurs carriérologues, les jumelages permettent d'accroître la compréhension du pluralisme culturel, ce qui devrait être le cas pour tous les acteurs du milieu scolaire. Le but commun est d'offrir des services visant à 1) préparer tous les étudiants à la réussite scolaire ; 2) planifier leur parcours scolaire ; et 3) aider les étudiants immigrants à s'intégrer au marché du travail. L'acquisition des compétences interculturelles chez les étudiants en développement de carrière est importante, car les étudiants immigrants de l'École de langues doivent sentir que leurs différences culturelles sont prises en compte. L'intégration sociale et professionnelle des immigrants est un défi majeur, tant pour eux que pour la société qui les accueille. Ce processus mérite de l'empathie de la part des intervenants et, qui plus est, des étudiants en développement de carrière.

Afin d'offrir un accompagnement scolaire, carriérologique et psychosocial optimal, les conseillers efficaces auront à 1) promouvoir le développement d'un concept de soi positif chez les apprenants ; 2) faciliter les interactions positives entre les étudiants de divers groupes ethnoculturels ; 3) valoriser et promouvoir les attitudes et les compétences nécessaires pour le succès scolaire ; 4) faciliter l'exploration à la carrière ; et 5) accompagner le choix et la validation de la carrière. Les initiatives peuvent inclure l'information non stéréotypée sur les métiers et la présentation de modèles professionnels vus par différents groupes ethnoculturels. L'approche orientante en contexte pluriethnique vise à débusquer les stéréotypes et les préjugés qui restreignent la liberté des choix professionnels.

Retombées de l'activité

Chez les étudiants en développement de carrière

Puisque les interventions carriérologiques s'inscrivent dans une dynamique individu-études-travail qui perdurera tout au long de la vie de l'usager, il se peut que les étudiants jumelés se rencontrent plus tard dans leur vie-carrière. Les carriérologues se trouvent dans des secteurs de pratique variés, notamment en éducation (primaire, secondaire, collégial ou université), en employabilité (organismes gouvernementaux et paragouvernementaux, organismes à but non lucratif), en réadaptation (CSST, SAAQ), en milieu organisationnel (entreprises, formation continue) et en cabinet privé. Les titres professionnels sont nombreux : conseiller d'orientation, conseiller scolaire, conseiller en information scolaire et professionnel, conseiller d'emploi, agent de sélection et de recrutement.

Les jumelages interculturels entre les étudiants en développement de carrière (au baccalauréat) et en carriérologie (à la maîtrise) et les étudiants non francophones à l'École de langues créent un environnement essentiel pour les apprentissages collaboratifs (Burnham et al., 2009). En effet, ces activités demandent aux étudiants qui apprennent la langue du pays d'accueil et aux conseillers en devenir de mettre en pratique ensemble leurs apprentissages, prenant en compte du même coup plusieurs objectifs de formation (Burnham et al., 2009 ; Roysircar, Gard, Hubbell et Ortega, 2005). Dans le même ordre d'idées, il importe d'évoquer trois domaines d'apprentissage investis grâce au travail collaboratif dans le cadre des jumelages interculturels.

Premièrement, les deux groupes d'étudiants font l'expérience de la collaboration, de l'interdépendance. Puisque les deux groupes d'étudiants vont continuer à vivre dans un contexte sociétal pluriethnique, cette expérience peut leur être utile à l'avenir, peu importe le contexte. Elle peut leur rappeler qu'ils établissent entre eux des relations qui se voulaient harmonieuses et empreintes d'empathie.

Deuxièmement, puisque les personnes issues de l'immigration fréquentent peu les services mis à leur disposition ou les étudiants des cours de counseling, elles peuvent, grâce aux jumelages, rencontrer sur le campus des étudiants nés dans leur société d'accueil. Les services d'aide à l'université et dans la communauté peuvent ainsi être utiles aux étudiants immigrants (Burnham et al., 2009). Pour les futurs conseillers, ces rencontres sont une occasion de mieux comprendre les besoins des communautés ethnoculturelles et d'établir des ponts interculturels de rapprochement (Goh, Wahl, McDonald, Brissett et Yoon, 2007).

Troisièmement, les conseillers en devenir apprennent à considérer les étudiants issus de l'immigration comme des individus porteurs de culture, des étudiants universitaires comme eux et non des représentants de leur culture. Grâce à cette expérience, ils constatent que l'appartenance culturelle influence les processus de socialisation. Ils réalisent l'importance des valeurs, des styles d'apprentissage, des objectifs vocationnels et des missions culturelles dans le processus de counseling (Burnham *et al.*, 2009). Enfin, ils améliorent leur compréhension face aux difficultés langagières.

Chez les étudiants immigrants de l'École de langues

Les étudiants immigrants de l'École de langues profitent d'abord des rencontres avec les étudiants en carriérologie pour pratiquer la langue française en situation de conversations réelles. Le contenu de ces discussions se focalise sur l'intérêt des étudiants apprenant le français ; il s'agit de la reconnaissance de leurs compétences, de leurs expériences de travail et de la formation dans leur pays d'origine. Les échanges portent même sur leurs rêves et leurs aspirations de vie-carrière dans leur pays d'accueil. Les étudiants immigrants expriment alors leurs frustrations, leur colère, leurs joies et leurs tristesses, des émotions associées à leur intégration et à leur processus d'adaptation. Par ailleurs, ces rencontres visent à 1) aider ces étudiants à dresser un bilan des compétences exploitables sur le marché du travail québécois ; 2) valider leur choix professionnel par rapport aux reconnaissances des acquis ; 3) chercher de l'information concernant les ordres professionnels ; et 4) regarder avec un carriérologue des formations dans leur domaine s'ils s'intéressent à la formation continue.

Dans leur cours de français, ces étudiants doivent rédiger des travaux scolaires sur leurs activités de jumelage. On peut dire que les enseignants ont fait de l'infusion en reliant les thèmes de leur cours de français à ceux relatifs au développement de carrière. Il arrive aussi que les étudiants aient un curriculum vitæ à produire, une entrevue de sélection à préparer ou des enregistrements oraux à écouter et à analyser dans le cadre des jumelages. Ces activités sont sans contredit mobilisantes, car elles sont pertinentes dans leur vie-carrière.

Conclusion

Ces jumelages interculturels entre les étudiants en carriérologie et ceux en français langue seconde favorisent le développement de connaissances et de compétences réciproques. Ils offrent aux futurs conseillers des occasions de formation en vue d'acquérir des compétences en pluriethnicité auprès d'étudiants immigrants. Les jumelages sont aussi un cadre privilégié pour soutenir les non-francophones dans les défis liés à leur carrière. De plus, les jumelages suscitent une collaboration entre les enseignants de différents départements, laquelle s'inscrit dans la mission universitaire, qui privilégie des principes comme l'équité, l'accessibilité et le succès pour tout étudiant.

L'approche orientante met en interaction des étudiants avec le milieu scolaire, la communauté et le monde de travail. Rapidement, des défis se posent relativement à cette approche et aux jumelages interculturels. Ces défis résident surtout dans la capacité à établir une collaboration plus étroite et durable avec le monde du travail. La prochaine étape sera alors de solliciter les entreprises et de les inciter à s'impliquer. La qualité de la formation des acteurs du monde du travail et du milieu communautaire ainsi que leur volonté d'engagement ajouteront au partage des ressources et stimuleront la créativité des personnes investies dans le projet de jumelages interculturels. Un autre défi est d'arrimer la recherche à un projet de jumelages afin de documenter les connaissances, les compétences et les attitudes professionnelles des participants (Jones, Sander et Booker, 2013). Malgré la complexité des éléments qui composent les jumelages, ce projet est prometteur pour les étudiants en ce qui concerne le développement de leurs compétences interculturelles, mais aussi en en ce qui a trait à l'acquisition d'outils de recherche.

Clauss-Ehlers et Parham (2014) donnent à entendre que la diversité est aussi centrale à la vie universitaire que l'est la technologie, puisque l'inclusion sociale est sa mission et son rôle. Selon ces auteurs, l'infusion de la diversité augmente la complexité cognitive, l'ouverture, les attitudes en faveur de l'accès à l'égalité, en plus d'améliorer la compréhension entre les étudiants, les enseignants et le personnel universitaire.

Bibliographie

Bezanson, L., S. Hopkins et E. O'Reilly (2014). «The professionalization of career development in Canada in the 21st century», dans C. Shepard Blythe et S. Mani Priya (dir.), dans *Career Development Practice in Canada. Perspectives, Principles, and Professionalism*, Toronto, CERIC, p. 531-554.

Burnham, J.J., M. Mantero et L.M. Hoper (2009). «Experientiel training: Connecting school counselors-in-training, English as a second language (ESL) teachers, and ESL students», *Journal of Multicultural Counseling and Development*, vol. 37, n° 1, p. 2-14.

Clauss-Ehlers, C.S. et W.D. Parham (2014). «Landscape of diversity in higher education: Linking demographic shifts to contemporary university and college counseling center practices», *Journal of Multicultural Counseling and Development*, vol. 42, n° 2, p. 69-76.

Cournoyer, C. (2014). «Career counselling in Québec», dans C. Shepard Blythe et S. Mani Priya (dir.), dans *Career Development Practice in Canada. Perspectives, Principles, and Professionalism*, Toronto, CERIC, p. 35-51.

Goh, M., K. Wahl, J. McDonald, A. Brissett et E. Yoon (2007). «Working with immigrant students in schools: The role of school counselors in building cross-cultural bridges», *Journal of Multicultural Counseling and Development*, vol. 35, p. 66-79.

Gysbers, N.C. et P. Henderson (2012). *Developing & Managing Your School Guidance & Counseling Program*, 5e éd., Alexandria, American Counseling Association.

Jones, J.M., J.B. Sander et K.W. Booker (2013). « Multicultural competency building : Practical solutions for training and evaluating student progress », *Training and Education in Professional Psychology*, vol. 7, n° 1, p. 12-22.

Pelletier, D. *et al.* (2004). *L'approche orientante : la clé de la réussite scolaire et professionnelle*, Québec, Septembre éditeur.

Roysircar, G., G. Gard, R. Hubbell et M. Ortega (2005). « Development of counseling trainees' multicultural awareness through mentoring English as a second language », *Journal of Multicultural Counseling and Development*, vol. 33, n° 1, p. 17-34.

Turcotte, N. (2012). *Portraits statistiques. L'immigration permanente au Québec selon les catégories d'immigration et quelques composantes entre 2006 et 2010*, <http://www.micc.gouv.qc.ca>.

Partie 2.

JUMELAGES INTERCULTURELS DANS LA FORMATION UNIVERSITAIRE

Chapitre 6.

JUMELAGE PAR ENTREVUE DANS UN COURS DE PHONÉTIQUE ET UN COURS DE PSYCHOLOGIE

Josée BLANCHET
École de langues, Université du Québec à Montréal

Richard BOURHIS
Département de psychologie, Université du Québec à Montréal

DANS UN SOUCI DE COHÉSION ET D'HARMONIE SOCIALE, LES COMMU-nautés d'accueil ont intérêt à mieux connaître les immigrants qui s'installent parmi eux. À la suite d'un parcours migratoire souvent long et périlleux, les immi-grants ne demandent pas mieux que de faire connaissance avec ceux qui les accueillent dans leur nouveau pays d'établissement. La plupart du temps, c'est le hasard d'une rencontre chaleureuse entre un immigrant et un membre de la communauté d'accueil qui marque durablement la volonté d'un immigrant de s'intégrer pleinement au pays d'accueil. Malheureusement, les occasions de telles rencontres manquent aux uns et aux autres en raison du quotidien exigeant de la vie moderne. Or, le milieu universitaire peut offrir un terrain idéal pour de telles rencontres si les membres du corps enseignant prennent l'initiative de jumeler des cours suivis par des immigrants à des cours suivis par des francophones de la communauté d'accueil. Plusieurs formules de jumelage ont ainsi été mises en place pour favoriser les rencontres interculturelles et bonifier les apprentissages universitaires de part et d'autre.

Le jumelage par entrevue, dont il sera question dans ce chapitre, non seulement offre l'occasion d'une rencontre interculturelle significative, mais est également un moyen de servir les objectifs universitaires des cours jumelés et de faire progresser dans leur discipline d'études les étudiants qui y participent. Ce type de jumelage consiste en une brève rencontre de presque trois heures entre des étudiants francophones de la communauté d'accueil et des étudiants issus de l'immigration apprenant le français langue seconde (apprenants FLS) à l'université.

Nous appelons jumeaux tous les étudiants immigrants et ceux de la communauté d'accueil qui sont jumelés dans le cadre des activités de rencontre interculturelle. Le jumelage par entrevue se caractérise par trois éléments principaux. Premièrement, la rencontre en face à face prend souvent la forme d'une conversation semi-dirigée plutôt que celle d'une séance de questions-réponses formelles prédéterminée. Deuxièmement, la part dirigée de la rencontre peut constituer une partie de l'entrevue sans en occuper tout l'espace. Par exemple, l'étudiant québécois francophone pourrait avoir le mandat de diriger une entrevue informelle avec son jumeau FLS, alors que l'apprenant FLS pourrait avoir celui de faire un exercice ou un devoir en sollicitant la participation de son jumeau francophone. Troisièmement, le jumelage par entrevue, justement parce qu'il peut comporter deux activités distinctes n'ayant pas nécessairement de lien sur le plan de la discipline, permet d'associer une grande variété de cours selon la concordance des horaires entre les différents départements d'une même université ou d'un même établissement d'enseignement postsecondaire. Il devient par exemple possible de jumeler un cours de psychologie et un cours de français langue seconde (L2). La souplesse de cette formule se prête également très bien à une rencontre unique lorsque l'horaire des cours empêche tout jumelage plus élaboré. En outre, ce jumelage, qui s'intègre facilement à un plan de cours, favorise une plus large participation du corps professoral, notamment des chargés de cours, aux activités de jumelage.

Le jumelage interculturel présenté ici s'est déroulé, à l'UQAM, entre les étudiants du cours *LAN4625 – Phonétique corrective*, offert au certificat de français écrit pour non-francophones de l'École de langues, et les étudiants francophones du cours *PSY4160 – Psychologie, culture et ethnicité*, donné au baccalauréat en psychologie. Les deux cours partagent la même plage horaire et s'échelonnent sur quinze semaines à raison de trois heures par semaine. La date du jumelage est inscrite au plan de cours ainsi que l'activité, définie dans ses grandes lignes. Ce jumelage par entrevue, dont la date de rencontre est planifiée au début du trimestre universitaire, est prévu pour la douzième semaine du cours et dure environ trois heures. L'objectif des étudiants de psychologie passe par l'entrevue semi-dirigée, alors que celui des étudiants de phonétique se concrétise à travers la pratique théâtrale.

Ce chapitre présentera les deux cours universitaires participant au jumelage interculturel, les assises théoriques soutenant l'utilité du jumelage pour l'atteinte des objectifs de l'un et de l'autre cours, le déroulement de la rencontre interculturelle et, enfin, l'appréciation du jumelage par les apprenants FLS, par les étudiants francophones de psychologie et par les enseignants des cours.

Cours de phonétique des apprenants FLS participant au jumelage par entrevue

Le cours de phonétique corrective LAN4625 s'adresse à des apprenants FLS des niveaux intermédiaire et avancé. Ce cours vise l'amélioration de la prononciation et de la compréhension du français oral. En effet, plusieurs études démontrent qu'un enseignement explicite de la phonétique L2 a un effet positif sur l'acquisition de la prononciation et de la perception d'une langue seconde (Kennedy et Blanchet, 2014 ; Kennedy, Blanchet et Trofimovich, 2014 ; Saito, 2012). Le cours aide l'apprenant à consolider le rapport entre la graphie et les sons. Il couvre en parallèle le rythme, l'accentuation et l'intonation, qui sont abordés de façon explicite, pratiqués en laboratoire de langue à l'aide d'outils technopédagogiques, puis transposés dans des exercices communicatifs de français.

Une partie du cours porte par ailleurs sur la compréhension de la parole continue : les étudiants apprennent à repérer la frontière des mots et à combler l'écart entre l'oral et l'écrit. Vers la fin du trimestre, les étudiants mettent à l'épreuve leurs acquis en préparant un extrait de pièce de théâtre en français qu'ils présenteront lors de leur évaluation finale. C'est d'ailleurs cette activité qu'ils travailleront avec leurs jumeaux francophones au moment de la rencontre par entrevue.

Afin de comprendre les fondements du cours et d'apprécier la façon dont le jumelage peut répondre aux objectifs d'acquisition de la phonétique L2, un tour d'horizon des assises théoriques est proposé dans les paragraphes suivants.

L'enseignement de la prononciation L2 est souvent critiqué pour son recours à des exercices systématiques décontextualisés (Celce Murcia, Brinton, Goodwin et Griner, 2010 ; Chun, 2002). Assurément, pour les apprenants FLS, il est difficile d'échapper à un certain entraînement articulatoire répétitif en raison de la dimension physiologique de l'apprentissage de sons étrangers en français. Par ailleurs, l'enseignement de l'intonation expressive offre une occasion idéale de sortir de l'aspect technique de l'apprentissage pour s'engager sur le plan communicatif. En effet, dès les années 1980, on s'est accordé pour dire que l'enseignement de l'intonation doit viser l'efficacité communicative (Yule, 1989). Pourtant, une revue des manuels de phonétique FLS récents révèle que l'intonation, surtout en ce qui concerne sa fonction expressive, n'est pas toujours enseignée en contexte communicatif. S'il est possible d'enseigner explicitement les fonctions démarcatives et distinctives de l'intonation (voir des exemples dans Charliac et Motron, 2007, p. 74), il n'est pas facile d'enseigner formellement ce qui, dans la voix, traduit l'émotion.

Puisque les corrélats acoustiques de l'intonation expressive prennent une forme visuelle à l'écran, certains adoptent le parti d'enseigner l'intonation à l'aide de logiciels de la voix auxquels sont ajoutés des éléments d'actes de parole (Chun, Hardison et Pennington, 2008 ; Hardison, 2010 ; Levis et Pickering, 2004). Les outils technologiques sont sans doute utiles, mais l'idéal demeure le contact en face à face avec les locuteurs natifs de la langue cible, puisqu'il offre non seulement un modèle vocal, mais également les corrélats gestuels de l'émotion et de l'attitude (Bolinger, 1986 ; Juslin et Scherer, 2005). Même si la technologie peut s'inscrire dans le parcours de l'enseignement, une séquence pédagogique visant l'efficacité communicative devrait idéalement mettre l'apprenant FLS en situation de communication. C'est le cas dans la séquence d'enseignement de l'intonation proposée par Celce-Murcia et Goodwin (1991) : 1) écouter et répéter ; 2) remarquer les contours intonatifs ; 3) reconnaître l'émotion derrière l'intonation ; et 4) lire ou jouer un dialogue avec différentes émotions. La perspective actionnelle (voir le chapitre 3 du présent livre) pousse encore plus loin l'idée de situer l'activité communicative en contexte authentique en ajoutant un ultime maillon à toute séquence pédagogique d'apprentissage L2 : vivre un projet commun avec des locuteurs natifs ou des «citoyens» (Richer, 2009).

Ainsi, le jumelage avec les francophones répond de façon optimale à la séquence pédagogique communicative de l'enseignement de l'intonation, de même qu'à l'approche actionnelle, car il permet aux apprenants FLS d'accéder aux connaissances et à la richesse expressive de locuteurs natifs, tout en offrant aux participants une occasion d'absorber les leçons pragmatiques de l'interaction humaine au sein d'un projet commun. Ce faisant, l'apprenant FLS peut commencer à se construire une identité dans sa L2, identité qui deviendra une des clés de son intégration linguistique dans la société d'accueil (Clément, Noël et Macintyre, 2007 ; Hansen, 2006 ; Marx, 2002).

Les assises théoriques étant posées, décrivons maintenant les participants du cours. La majorité des apprenants FLS (n = 23) inscrits au cours de phonétique LAN4625 sont des immigrantes, souvent bilingues ou trilingues, arrivées au Québec dans les trois dernières années. La moyenne d'âge est de 37 ans (entre 23 et 52 ans) et les langues premières représentées sont par ordre d'importance le chinois, l'espagnol, le russe et le farsi. Il s'agit de personnes scolarisées qui ont obtenu un ou deux diplômes postsecondaires dans leurs pays d'origine. Plusieurs ont des enfants inscrits dans le système scolaire québécois.

Abordons maintenant la tâche des participants au cours de l'activité de jumelage. Il s'agit d'une activité en lien avec l'évaluation finale du cours de phonétique, soit la préparation d'un acte de théâtre. Les apprenants FLS, répartis dans des équipes de trois, reçoivent leur acte respectif durant la semaine précédant le jumelage. Une pièce humoristique, libre de droits et facilement accessible sur le Web, est choisie par l'enseignante pour les besoins de la cause. Cette pièce est divisée en huit actes et chacune des huit équipes reçoit un acte à présenter. Les apprenants FLS ont le loisir de lire l'extrait, de choisir leur rôle, de jouer sommairement leur personnage et de repérer les passages difficiles du texte. La rencontre avec les francophones du cours de psychologie au douzième cours leur permettra de travailler leur rôle en profondeur. Les apprenants FLS reviendront par la suite à leur équipe originale de classe pour présenter l'acte lors du dernier cours.

Ainsi au moment de l'évaluation finale, qui s'étend sur toute la durée du dernier cours du trimestre, les équipes peuvent voir l'entièreté de la pièce. Lors de la présentation de l'acte devant la classe, chaque étudiant est évalué selon les critères suivants : justesse de l'intonation, expression, voix, rythme, accentuation, fluidité, prononciation des sons, respect des phénomènes de la parole continue (p. ex. les liaisons). Une note d'équipe est également attribuée à la mise en scène. Ainsi, la rencontre de jumelage elle-même ne fait pas l'objet d'une évaluation, mais le sérieux du travail qu'on y accomplit influence la performance évaluée ultérieurement.

Cours de psychologie des francophones participant au jumelage par entrevue

Pour les francophones inscrits au cours *Psychologie, culture et ethnicité* (PSY4160) du Département de psychologie de l'UQAM, ce cours vise les objectifs suivants : 1) analyser des approches de la psychologie interculturelle et de la psychologie sociale de l'acculturation, tant du point de vue des communautés immigrantes que des communautés d'accueil ; 2) étudier des politiques et des enjeux démographiques de l'immigration et de l'intégration au Québec et au Canada ; 3) comprendre la psychologie des stéréotypes, des préjugés, de la discrimination, des relations intergroupes et de la communication interculturelle au Québec et dans le monde ; et 4) se sensibiliser aux enjeux de la santé mentale et de la culture, de la psychologie clinique transculturelle.

L'enseignement du cours *Psychologie, culture et ethnicité* inclut l'apprentissage et la compréhension des notions de culture, d'ethnicité et des identités multiples, telles qu'elles sont étudiées en psychologie sociale (Guimond, 2010). Il comprend aussi un bref survol des assises de la psychologie interculturelle, y compris la comparaison interculturelle des valeurs et la transmission culturelle (Licata et Heine, 2012). Le cours aborde le processus d'acculturation des immigrants et des communautés d'accueil (Sam et Berry, 2006) ainsi que les différents modèles d'acculturation, dont ceux de Berry (1997), et le modèle d'acculturation interactif (MAI ; Bourhis, Moïse, Perreault et Senécal, 1997 ; Bourhis, Montaruli, El-Geledi, Harvey et Barrette, 2010). Le cours offre un survol de la psychologie des stéréotypes, des préjugés et de la discrimination (Bourhis et Gagnon, 2006 ; Bourhis et Montreuil, 2004) ainsi que des relations et des communications interculturelles et multilingues (Bourhis, Sioufi et Sachdev, 2012 ; Lussier, 2008 ; Martin et Nakayama, 2012). De plus, les thèmes suivants sont abordés : l'intégration des immigrants, les communautés linguistiques du Québec, le sentiment d'appartenance nationale et le sentiment de menace identitaire vécu chez les francophones et les anglophones du Québec (Bourhis, 2012 ; voir également le premier chapitre du présent livre).

Le cours *Psychologie, culture et ethnicité* fait partie du tronc commun de la formation pour les étudiants inscrits dans le programme de psychologie à l'UQAM. L'objectif du cours interculturel est de sensibiliser les étudiants de psychologie aux réalités de la diversité culturelle, linguistique et religieuse de la population qui constitue une clientèle grandissante pour les psychologues de tous les domaines de la psychologie au Québec comme au Canada. Les études empiriques démontrent qu'en tant que majorité les Québécois francophones rencontrent très peu d'immigrants dans leur vie quotidienne, y compris au cégep et à l'université (Carignan, 2005, 2006 ; Montreuil et Bourhis, 2004). Depuis une décennie, les témoignages obtenus dans les jumelages révèlent que les immigrants inscrits au premier cycle universitaire rapportent peu de contacts soutenus avec la majorité des étudiants québécois francophones de l'UQAM.

L'insertion du jumelage interculturel comme exigence du cours PSY4160 offre une occasion unique pour les Québécois francophones de faire une rencontre d'environ trois heures en face à face avec des immigrants étudiant le français. Puisqu'ils prennent place en situation authentique, les jumelages interculturels permettent aux étudiants en psychologie 1) de consolider les thèmes et les modèles présentés durant leurs cours ; 2) d'être sensibilisés aux enjeux de l'apprentissage du français pour l'intégration des immigrants au Québec et au Canada ; 3) de comprendre la responsabilité qui incombe au groupe majoritaire d'accueil de bien intégrer les minorités immigrantes autant valorisées que dévalorisées ; et 4) de favoriser un climat social respectueux de la différence et de la diversité. Autrement dit, l'activité de jumelage proposée dans le cours de psychologie invite les étudiants à apprécier la différence ethnoculturelle comme une richesse et non comme une menace linguistique, culturelle ou économique (Bourhis, Carignan et Sioufi, 2013).

C'est à la fin du trimestre que ce jumelage interculturel amène les étudiants québécois francophones à mettre en pratique certains acquis en lien avec les thématiques du cours, notamment la communication interculturelle et multilingue, les notions de parcours migratoire, les identités multiples, la diversité des normes et des valeurs dans divers contextes culturels du monde, les orientations d'acculturation des immigrants, de même que l'expérience des préjugés et de la discrimination vécus par certaines minorités vulnérables établies au Québec.

Les étudiants du cours de psychologie (*n* = 60) sont majoritairement d'origine québécoise francophone (80 %). Les autres 20 % sont des étudiants québécois allophones bilingues ou trilingues issus de l'immigration (première ou deuxième génération) dont la langue maternelle n'est pas le français. La moyenne d'âge des étudiants du cours est de 24 ans et la majorité est constituée de femmes. L'écart d'âge entre les apprenants FLS et les francophones du cours de psychologie s'explique par le fait que les étudiants en psychologie suivent une première formation universitaire, tandis que plusieurs étudiants FLS de l'École de langues ont déjà obtenu des diplômes universitaires et acquis de l'expérience professionnelle dans leurs pays d'origine. Pour une pondération de 4 % de la note finale du cours, les étudiants de psychologie écrivent un texte de 600 mots qui vise, d'une part, à exprimer leurs impressions personnelles sur le jumelage interculturel (2 %) et, d'autre part, à analyser leur expérience de jumelage en fonction d'un ou de deux concepts de psychologie étudiés dans le cours (2 %).

Déroulement de la rencontre interculturelle par entrevue

Le terme *jumeau* montre l'importance que l'on accorde au statut égalitaire entre les immigrants apprenants FLS de l'École de langues et les francophones du Département de psychologie. Les étudiants FLS et ceux du cours de psychologie partagent un but commun, qu'ils peuvent atteindre par la collaboration dans leurs rencontres de jumelage tout en jouissant du soutien institutionnel de leur département respectif : l'École de langues et le Département de psychologie de l'UQAM. Les circonstances de ce jumelage interculturel constituent justement les quatre conditions proposées par Gordon Allport (1954) pour optimiser les relations harmonieuses entre les groupes en contact (Bourhis et Gagnon, 2006). Les publications scientifiques portant sur l'effet bénéfique des contacts inter-groupes démontrent que ce type de collaboration égalitaire poursuivant un but commun a pour effet de susciter la confiance et l'empathie interculturelle, tout en réduisant l'anxiété interculturelle et les préjugés intergroupes (Pettigrew et Tropp, 2011 ; Pettigrew, Tropp, Wagner et Christ, 2011).

Nous décrirons maintenant les aspects logistiques du jumelage. Comme le groupe du cours de psychologie comprend 60 étudiants et que celui de phoné-tique en compte 23, deux étudiants de psychologie sont jumelés avec un étudiant de phonétique pour former des équipes de trois. Les enseignants ont veillé à la diversité des étudiants dans chaque équipe. Le groupe de psychologie est reçu dans la salle de classe du groupe de phonétique au début de la période du cours dédié au jumelage. Les étudiants francophones sont préparés au préalable pour ce qui a trait aux aspects de la rencontre interculturelle. Les éléments abordés portent sur les questions qui suivent. Un jumelage, c'est quoi ? avec qui ? Pourquoi un jumelage ? Que fait-on lors du jumelage ? Comment se déroule un jumelage ? Où et quand a lieu le jumelage ?

L'enseignante de phonétique explique brièvement en début de séance le rôle des étudiants de psychologie au sein de l'activité théâtre. Ces derniers aident tout d'abord l'étudiant de phonétique dans la compréhension du texte, ils corrigent sa prononciation et, surtout, lui fournissent un modèle vivant pour l'interprétation, leur statut de locuteur francophone les qualifiant pour ces tâches. Chacun joue un rôle pour répéter l'acte de la pièce de théâtre. Les membres ainsi jumelés en équipe travaillent une heure à cette activité pour ensuite passer à l'entrevue semi-dirigée prévue par les étudiants en psychologie, activité qui vient inverser la relation d'aide. En effet, après avoir été aidés par les étudiants francophones, les apprenants FLS sont maintenant en position d'aider les francophones à réaliser les objectifs de leur activité du cours de psychologie.

Pour la formation de chacune des équipes, l'enseignante de phonétique distribue les actes de la pièce de théâtre en s'assurant que chaque étudiant de phonétique reçoit l'extrait qui lui est destiné et en nommant deux étudiants de psychologie pour l'accompagner. Chacun repart ainsi avec les copies d'un acte et une équipe avec qui répéter. Les étudiants peuvent aller s'installer aux tables de l'aire de détente juste en face de la salle de classe, aux tables du café à l'étage ou dans la salle de classe même. Deux auxiliaires d'enseignement FLS agissent comme personnes-ressources pour clarifier les consignes ou faciliter les échanges, puis comme gardiennes du temps pour assurer que les deux activités pourront se concrétiser.

Les enseignants ont choisi cet ordre dans le déroulement des activités (théâtre d'abord et entrevue ensuite), car la préparation d'une pièce de théâtre humoristique constitue un moyen idéal de briser la glace et d'apprendre à se connaître sans avoir à se révéler d'emblée. L'entrevue semi-dirigée prévue par les étudiants de psychologie se déroulant sur un mode plus personnel s'inscrit bien à la suite d'une activité ludique favorisant le rire et la détente. Dans les faits, nous constatons à l'usage que plusieurs jumelages par entrevue se déroulent dans un joyeux mélange des deux tâches, selon la dynamique des affinités interpersonnelles, des expériences de vie commune, des besoins de communication verbale et non verbale, des découvertes des valeurs et des coutumes, semblables ou différentes, et selon l'origine culturelle des étudiants jumelés. Après le jumelage, les étudiants en psychologie retournent en classe pendant 30 minutes afin de participer à un échange sur les impressions immédiates vécues durant le jumelage.

Appréciation du jumelage

Les étudiants de phonétique ont grandement apprécié leur jumelage interculturel. Lors du retour fait au début du cours suivant, les commentaires positifs fusaient. Notons que les commentaires ici relatés ont été formulés à l'oral et pris en note par une auxiliaire d'enseignement. De plus, afin de préserver l'anonymat, les noms sont fictifs.

Il faut faire de ces activités [les jumelages] *plus souvent! C'était la première fois que je faisais une activité concrète avec un francophone. Ç'aurait été fantastique de pouvoir jouer la pièce avec eux* [les jumeaux francophones] *après coup* (Marco).

Ainsi, Marco fait état de son peu de contacts avec les Québécois francophones et dit apprécier l'occasion qu'offre le jumelage à cet égard. On remarque également à quel point, et de façon tout à fait intuitive, la visée de la perspective actionnelle se reflète dans les propos de l'apprenant : l'étudiant voudrait pousser l'activité jusqu'à sa conclusion logique, celle de concrétiser un projet commun. En effet, l'ultime réalisation actionnelle serait une présentation partagée de la pièce, en public, avec un auditoire composé de francophones et d'apprenants FLS, projet qui mérite certainement considération, mais qui devrait s'inscrire dans un jumelage plus élaboré.

Le travail avec les jumeaux m'a beaucoup aidée à comprendre la pièce. Ils m'ont expliqué beaucoup d'expressions. Mais j'ai vraiment compris [ces expressions] *en répétant la pièce avec eux. Leur façon de dire les expressions, l'intonation, c'est ce qui m'a aidée à comprendre les nuances* (Xin Miao).

Dans la première partie de ce commentaire, l'étudiante FLS souligne l'utilité d'avoir des francophones à ses côtés pour lui expliquer la signification des expressions idiomatiques. Normalement, un auxiliaire d'enseignement FLS aurait rempli cette fonction lors d'un cours pratique. Cependant, le ratio d'auxiliaire à étudiants étant de 1/30, on comprend bien la satisfaction d'un apprenant qui peut tout à coup avoir une réponse immédiate à ses questions. La deuxième partie du commentaire de Xin Miao souligne l'aspect pragmatique de la communication, qui s'acquiert si difficilement en salle de classe auprès d'autres apprenants. Sans le dire en ces mots, Xin Miao révèle qu'elle a fini par comprendre la vraie signification des expressions idiomatiques lorsqu'elle les a entendues « en contexte ».

Même si le contexte en question est fabriqué, il n'en reste pas moins que la pièce originale est jouée en compagnie de francophones qui comprennent intimement la situation de communication et qui peuvent, pour la rendre réelle, y coller intuitivement l'intonation et les nuances appropriées.

Nous avons beaucoup ri en pratiquant, mes jumelles et moi, parce que dans mon texte je dois dire : « Tu as vu ? Il a bu ! Il a bu ! », mais je ne pouvais pas faire le [y]. *Je ne me sens pas naturel quand je fais* [y]. *C'est féminin d'avoir les lèvres comme ça* [projection des lèvres arrondies vers l'avant] : « [y] » (Oscar).

Il est intéressant de noter qu'Oscar n'avait pas de problème à produire le son [y] en laboratoire de phonétique, mais que devant ses jumelles québécoises francophones il se sent inhibé par cette articulation qu'il dit « féminine » et revient plutôt au phonème [u] de sa langue première. Ce type de contrainte pragmatique se déclare surtout en interaction réelle, soit l'une des raisons pour lesquelles le jumelage est si riche d'enseignements. Oscar a pris conscience de son malaise, a constaté (dans l'hilarité) que les jumelles québécoises ne perçoivent pas l'articulation de ce phonème de la même manière que lui et, finalement, a intégré le phonème à sa production.

> *C'était bien de pouvoir parler avec des Québécois. C'était utile pour la pièce, mais j'ai surtout aimé la partie où on a juste parlé ensemble* [entrevue]. *Moi, je suis ici depuis moins d'un an et je ne connais pas de francophones. On a beaucoup de choses en commun, elle* [sa jumelle] *et moi. Nous avons grandi dans un village. Nos vies étaient semblables* (Hanifa).

Hanifa et sa jumelle se rejoignent lorsqu'elles parlent de leur enfance lors de l'entrevue, car toutes deux ont connu la vie de village et ont pu faire des comparaisons. Hanifa était ravie de constater qu'elle avait beaucoup de points en commun avec sa jumelle québécoise malgré une grande différence culturelle.

Pour leur part, les francophones ont également réagi très positivement à l'expérience du jumelage. Notons que les textes réflexifs rédigés par les étudiants francophones de psychologie ont été reproduits tels quels, avec les erreurs orthographiques, lexicales ou syntaxiques.

Voici quelques exemples éloquents de témoignages des étudiants francophones de psychologie.

> *J'ai été jumelée avec* [...] *un natif du Tadjistan* [sic]. [...] *il nous a fait réaliser qu'il était venu s'établir au Canada pour assurer à ses enfants un meilleur avenir. C'est d'ailleurs cet élément qui m'a le plus émue.* [...] *Cette expérience m'a fait réaliser à quel point les personnes nouvellement établies au Canada doivent avoir une grande motivation et beaucoup de persévérance pour s'adapter à notre langue et culture.* [...] *Tel qu'Amir l'a lui-même exprimé, rien ne vaut le contact direct avec la communauté d'accueil pour aider dans l'apprentissage du français.* [...] *un tel contact* [...] *permettrait de réduire les préjugés des Québécois face aux immigrants et diminuerait* [...] *la discrimination à leur endroit* (Annie).

Ce témoignage est tout à fait en accord avec les objectifs du jumelage interculturel. Il permet de saisir l'optimisme de l'immigrant confiant en son intégration à sa nouvelle société et surtout en celle de ses enfants. Il lui permet aussi de prendre conscience de la responsabilité de l'étudiant québécois en tant que membre de la société d'accueil contribuant à l'intégration linguistique d'un nouvel immigrant.

> *Hui Min* [...] *m'a permis de comprendre comment les immigrants se sentent lorsqu'ils essaient de communiquer avec leurs semblables.* [...] *Le jumelage m'a aussi permis de constater que les immigrants ont une capacité à s'adapter très rapidement.* [...] *et vivre paisiblement avec les membres majoritaires du pays d'accueil.* [...] *Cette approche m'a permis de constater que nous avons des intérêts communs* [la musique, le cinéma et la culture]. *Aussi* [...] *les immigrants veulent nous connaître et partager notre identité et* [...] *nous ne sommes pas menacés par eux, mais fortifiés par leur contact* (Alain).

Pour un autre étudiant québécois francophone, le jumelage interculturel a été une activité très enrichissante. Ainsi que l'ont proposé Bourhis, Carignan et Sioufi (2013), l'activité de jumelage invite les étudiants à considérer la différence ethnoculturelle comme une richesse. En effet, l'étudiant en psychologie cité plus haut rappelle que cette rencontre a montré que plusieurs immigrants veulent connaître les membres de la société qui les accueille et partager l'identité québécoise/montréalaise. Il réalise que la diversité n'est pas une menace, mais qu'elle permet plutôt de dynamiser les contacts interindividuels et intergroupes.

> Li Wei, arrivée au Québec depuis deux ans, m'a confié que c'était pour elle la première fois qu'elle entrait en contact avec des Québécois. J'ai été surprise de constater que, malgré le temps passé au Québec, il est très difficile pour les immigrants d'entrer en relation avec des Québécois de souche [...] Suite au jumelage, j'ai pris conscience que c'est en prenant le temps d'approfondir nos conversations avec les immigrants qu'on peut comprendre l'importance de l'ouverture d'esprit face aux autres cultures (Josiane).

Ce témoignage confirme une fois de plus le peu de contacts entre les immigrants et les membres de la société d'accueil, ce qui s'avère un défi si l'on considère la responsabilité de la société d'accueil de participer à l'intégration sociale, culturelle, linguistique et économique de ses citoyens d'adoption. Cette responsabilité est d'autant plus grande que les démarches pour l'obtention de la citoyenneté sont d'au moins trois ans et qu'il est plus difficile pour un immigrant d'investir les divers domaines d'intégration lorsque son statut juridique, à la base, n'est pas encore réglé.

Cela dit, devenir citoyen ne simplifie pas nécessairement l'intégration économique. À cet égard, nous avons constaté dans le cadre des jumelages que la reconnaissance des acquis est un enjeu important. En effet, la majorité des immigrants rencontrés n'ont pu faire reconnaître leur diplôme et leurs expériences de travail acquises à l'étranger, ce qui a une incidence sur leur intégration linguistique et sociale (Eid, 2009). Souvent sans emploi, privé de possibilités de pratique de sa nouvelle langue en contexte réel, l'immigrant peine à perfectionner son français et ses compétences professionnelles (Déom, Mercier et Morel, 2006). Il se voit ainsi confiné à sa communauté d'origine et limité dans l'établissement de liens amicaux et professionnels avec la communauté d'accueil.

Ces témoignages montrent bien le rôle important joué par les jumelages interculturels à l'UQAM sur le plan de la prise de conscience de la richesse des échanges interculturels et de la responsabilité partagée pour ce qui a trait à l'intégration des immigrants.

Conclusion

Le jumelage a permis aux apprenants FLS de réaliser un projet avec des Québécois francophones et d'accéder ainsi à leurs connaissances linguistiques et pragmatiques dans une ambiance ludique et égalitaire. Même si l'amélioration de l'intonation n'a pu être mesurée de façon empirique, sur le plan qualitatif l'enseignante a observé un degré d'investissement supérieur à la moyenne pour la préparation et la présentation de la pièce de théâtre dans le groupe de phonétique qui a participé au jumelage. L'activité pédagogique pratiquée au sein d'un projet commun avec des Québécois francophones était revêtue d'authenticité : se souvenir de l'intonation appropriée rappelait nécessairement à l'esprit le jumeau et le lien affectif développé avec lui.

Cet ancrage a eu l'effet d'augmenter le niveau de confiance et de motivation pour l'activité et l'évaluation finale. Les étudiants FLS qui avaient fait le jumelage se risquaient davantage à varier leur intonation et à bonifier leur expression, qui était d'ailleurs plus juste. Forts des enseignements donnés par leurs jumeaux, ils se sentaient également plus en confiance quant à la mise en scène de leur acte.

Autre fait notable : l'influence positive du jumelage sur l'attitude des étudiants FLS par rapport à l'évaluation. En effet, alors que dans les classes de phonétique parallèles, plusieurs envisageaient la présentation théâtrale comme un obstacle à franchir, dans le groupe qui avait fait le jumelage les étudiants percevaient davantage la présentation comme un événement collectif enthousiasmant. L'expérience est donc encourageante sur le plan de la valeur pédagogique du jumelage et confirme, à tout le moins de façon qualitative, que la pratique de l'intonation insérée dans le discours en contexte communicatif, dans un projet commun avec des Québécois francophones, est une plus-value pour l'apprentissage de l'intonation et de l'expression du français.

En ce qui concerne le cours de psychologie, les jumelages interculturels permettent, tant aux Québécois francophones qu'aux immigrants, de reconnaître non seulement leurs différences, mais aussi leurs ressemblances. Les jumelages ont pour effet de réduire le sentiment de menace et d'accroître le sentiment de confiance en présence des immigrants ; il augmente en outre le sentiment de sécurité identitaire des Québécois francophones (Bourhis, Carignan et Sioufi, 2013). Notons que les effets bénéfiques observés chez les francophones québécois se font probablement sentir de la même manière chez les immigrants.

Nous proposons que les futurs professionnels en psychologie ou en éducation suivent non seulement un cours du type *Psychologie, culture et ethnicité*, mais aussi une formation en relation interculturelle comme il en existe déjà dans plusieurs pays où l'on trouve des établissements multiculturels et multilingues en Amérique et en Europe (Landis, Bennet et Bennet, 2004 ; Lussier, 2008).

Bibliographie

Allport, G.W. (1954). *The Nature of Prejudice*, Reading, Addison-Wesley.

Berry, J. (1997). «Immigration, acculturation and adaptation», *Applied Psychology: An International Review*, vol. 46, p. 5-34.

Bolinger, D. (1986). *Intonation and Its Parts: Melody in Spoken English*, Stanford, Stanford University Press.

Bourhis, R.Y. (2012). «Psychologie sociale des relations entre les communautés francophones et anglophones du Québec: de la vitalité au linguicisme», dans R.Y. Bourhis (dir.), *Déclins et enjeux des communautés de langue anglaise du Québec*, Ottawa, Patrimoine canadien, p. 337-404.

Bourhis, R.Y., N. Carignan et R. Sioufi (2013). «Sécurité identitaire et attitudes l'égard de l'Autre chez de futurs maîtres: les impacts d'une formation interculturelle», dans M. McAndrew *et al.*, *Le développement des institutions inclusives en contexte de diversité*, Québec, Presses de l'Université du Québec, p. 117-134.

Bourhis, R.Y. et A. Gagnon (2006). «Les préjugés, la discrimination et les relations intergroupes», dans R.J. Vallerand (dir.), *Les fondements de la psychologie sociale*, 2ᵉ éd., Montréal, Gaëtan Morin et Chenelière Éducation, p. 531-598.

Bourhis, R.Y., L.C. Moïse, S. Perreault et S. Senécal (1997). «Towards an interactive acculturation model. A social psychological approach», *International Journal of Psychology*, vol. 32, p. 369-386.

Bourhis, R.Y., E. Montaruli, S. El-Geledi, S.P. Harvey et G. Barrette (2010). «Acculturation in multiple host community settings», *Journal of Social Issue*, vol. 66, p. 780-802.

Bourhis, R.Y. et A. Montreuil (2004). «Les assises sociopsychologiques du racisme et de la discrimination», dans J. Renaud, A. Germain et X. Leloup (dir.), *Racisme et discrimination: permanence et résurgence d'un phénomène inavouable*, Québec, Les Presses de l'Université Laval, p. 231-259.

Bourhis, R.Y., R. Sioufi et I. Sachdev (2012). «Ethnolinguistic interaction and multilingual communication», dans H. Giles (dir.), *The Handbook of Intergroup Communication*, New York, Routledge, p. 100-115.

Carignan, N. (2005). «Intercultural education: Collaborative learning between future teachers and Immigrants at UQAM», Communication présentée à la American Educational Research Association's Annual Conference, Montréal, avril 2005.

Carignan, N. (2006). «Est-ce possible d'apprendre à vivre ensemble? Un projet stimulant pour les futurs enseignants et les nouveaux arrivants», Actes du colloque «Quelle immigration, pour quel Québec?», dans le cadre du 25ᵉ anniversaire de la Table de concertation des réfugiés et immigrants (TCRI), 23-24 mars 2005, Montréal, p. 65-72.

Celce-Murcia, M., D. Brinton, J. Goodwin et B. Griner (2010). *Teaching Pronunciation: A Course Book and Reference Guide*, Cambridge, Cambridge University Press.

Celce-Murcia, M. et J. Goodwin (1991). *Teaching English as a Second or Foreign Language*, 2ᵉ éd., New York, Newbury House.

Charliac, L. et A.-C. Motron (2007). *La phonétique progressive du français. Niveau avancé*, Paris, CLE International.

Chun, D. (2002). *Discourse Intonation in L2. From Theory and Research to Practice*, Amsterdam, John Benjamins.

Chun, D., D. Hardison et M. Pennington (2008). «Technologies for prosody in context: Past and future of L2 research and practice», dans J. Hansen Edwards et M. Zampini (dir.), *Phonology and Second Language Acquisition*, Amsterdam, John Benjamins, p. 323-346.

Clément, R., K.A. Noël et P.D. MacIntyre (2007). «Three variations on the social psychology of bilinguality. Context effects in motivation, usage and identity», dans A. Weatherall, B.M. Watson et C. Gallois (dir.), *Language, Discourse et Social Psychology*, New York, Palgrave Advances in Linguistics, p. 51-77.

Déom, E., J. Mercier et S. Morel (2006). *La discrimination dans l'emploi. Quels moyens faut-il prendre?* Québec, Les Presses de l'Université Laval.

Eid, P. (2009). *Pour une véritable intégration. Droit au travail sans discrimination*, Montréal, Fidès.

Guimond, S. (2010). *Psychologie sociale. Perspective multiculturelle*, Wavre, Mardaga.

Hansen, J. (2006). *Acquiring a Non-Native Phonology. Linguistic Constraints and Social Barriers*, Londres, Continuum Publishers.

Hardison, D. (2010). «Visual and auditory input in second-language speech processing [Research Timeline]», *Language Teaching*, vol. 43, p. 84-95.

Juslin, P.N. et K.R. Scherer (2005). «Vocal expression of affect», dans J. Harrigan, R. Rosenthal, et K. Scherer (dir.), *The New Handbook of Methods in Nonverbal Behavior Research*, Oxford, Oxford University Press, p. 65-135.

Kennedy, S. et J. Blanchet (2014). «Language awareness and perception of connected speech in a second language», *Language Awareness*, vol. 23, nᵒˢ 1-2, p. 92-106.

Kennedy, S., J. Blanchet et P. Trofimovich (2014). «Learner pronunciation, awareness, and instruction in French as a second, *Foreign Language Annals*, vol. 47, nᵒ 1, p. 79-96.

Landis, D., J. Bennet et M. Bennet (2004). *Handbook of Intercultural Training*, 3ᵉ éd., Thousand Oaks, Sage.

Levis, J. et L. Pickering (2004). «Teaching intonation in discourse using pitch vizualisation technology», *Systems*, vol. 32, p. 505-524.

Licata, L. et A. Heine (2012). *Introduction à la psychologie interculturelle*, Bruxelles, De Boeck.

Lussier, D. (2008). «Enseigner "la compétence de communication interculturelle": une réalité à explorer», <http://www.mels.gouv.qc.ca/sections/viepedagogique/149/>, p. 1-7, consulté le 10 juin 2014.

Martins, J. et T. Nakayama (2012). *Intercultural Communication in Contexts*, 6ᵉ éd., New York, McGraw-Hill.

Marx, N. (2002). «Never quite a "native speaker": Accent and identity in the L2 – and the L1», *The Canadian Modern Language Review*, vol. 59, p. 264-281.

Montreuil, A. et R.Y. Bourhis (2004). «Acculturation orientations of competing host communities toward "valued" and "devalued" immigrants», *International Journal of Intercultural Relations*, vol. 28, p. 507-532.

Pettigrew, T.F. et L.R. Tropp (2011). *When Groups Meet: The Dynamics of Intergroup Contact*, Philadelphie, Psychology Press.

Pettigrew, T.F., L.R. Tropp, U. Wagner et O. Christ (2011). «Recent advances in intergroup contact theory», *International Journal of Intercultural Relations*, vol. 35, p. 271-280.

Richer, J.-J. (2009). «Lectures du cadre: Continuité ou rupture?», dans M.-L. Lions-Olivieri et P. Liria (dir.), *L'approche actionnelle dans l'enseignement des langues. Onze articles pour mieux comprendre et faire le point*, Paris et Barcelone, Maison des langues et Difusión Français langue étrangère, p. 13-48.

Saito, K. (2012). «Effects of instruction on L2 pronunciation development: A synthesis of 15 quasi-experimental intervention studies», *TESOL Quarterly*, p. 842-854.

Sam, D. et J.W. Berry (2006). *The Cambridge Handbook of Acculturation Psychology*, Cambridge, Cambridge University Press.

Yule, G. (1989). «The spoken language», *Annual Review of Applied Linguistics*, vol. 10, p. 163-172.

Chapitre 7.

JUMELAGE POUR LA COMMUNICATION ORALE ET LE TRAVAIL DE GROUPE

Juliane BERTRAND
École de langues, Université du Québec à Montréal

Ginette BERTEAU
École de travail social, Université du Québec à Montréal

ON IMAGINE SOUVENT LE JUMELAGE INTERCULTUREL SOUS FORME DE rencontre en dyade, mais il est possible de privilégier d'autres formes d'échange. Les pages suivantes proposent un exemple de jumelage interculturel réalisé à l'intérieur de groupes restreints. Lancée en 2001, cette expérience de jumelage a été mise en œuvre par un groupe d'enseignantes en travail social. À partir d'un canevas commun, chacune donne au jumelage sa couleur spécifique. Voici l'application qu'en font une enseignante de travail social et une enseignante de français langue seconde. Il s'agit donc d'un guide que chacun peut adapter à sa réalité.

Présentation du projet de jumelage

Cette activité de jumelage réunit des étudiants du baccalauréat en travail social et des étudiants du certificat en français écrit pour non-francophones. Les étudiants de travail social sont inscrits dans un cours obligatoire de méthodologie de l'intervention sociale de groupe. Ceux de français langue seconde (désormais FLS) suivent un cours de communication orale de niveau avancé I. Dans le cadre du jumelage, des groupes d'une dizaine d'étudiants sont formés. Idéalement, chaque groupe comprend quatre étudiants de travail social et cinq ou six étudiants de FLS. Dans ce jumelage, les étudiants développent leur compétence à participer à des échanges basés sur des principes d'aide mutuelle.

Objectifs pour les participants

Le cours de travail social vise à ce que les étudiants acquièrent les connaissances et développent les habiletés nécessaires pour intervenir avec des groupes restreints selon les principes du travail social. À la fin du cours, les étudiants devraient pouvoir mettre en œuvre les habiletés propices à l'émergence d'un système d'aide mutuelle qui valorise l'Autre dans ses ressources et sa différence. Ce même objectif vaut aussi pour le cours de FLS.

De plus, le cours de FLS vise l'amélioration de la communication orale. Les étudiants veulent parler avec fluidité, tout en limitant leurs erreurs, et développer leur oreille pour mieux comprendre les francophones. Or, dans la salle de classe, ils discutent avec d'autres non-francophones. L'intérêt du jumelage est de leur permettre de mettre en pratique leurs stratégies de communication en interagissant avec des francophones.

Par ailleurs, les thèmes abordés lors du jumelage sont choisis selon les besoins des apprenants de FLS, ce qui favorise l'atteinte d'un troisième objectif : une meilleure compréhension d'aspects de la société québécoise pertinents à leur parcours.

Rappel des assises théoriques

La formule de jumelage en travail de groupe a été développée pour satisfaire aux besoins propres aux domaines d'études des deux groupes : le travail social et l'apprentissage d'une langue seconde.

Depuis une trentaine d'années, les approches dominantes en langue seconde ont montré l'importance de tenir compte des besoins langagiers de l'apprenant. Le lecteur désireux de mieux comprendre la filiation entre l'approche communicative, l'approche par les tâches et la perspective actionnelle se tournera avec profit vers le chapitre 3 du présent ouvrage. À l'heure actuelle, une référence incontournable dans la conception de programmes de langues est le Cadre européen commun de référence pour les langues (Conseil de l'Europe, 2001), qui préconise une perspective actionnelle. Ce cadre s'inscrit dans le contexte sociopolitique d'une mobilité internationale croissante. Par conséquent, l'apprenant d'une langue est perçu comme un acteur social doté de « compétences générales individuelles», dont la «compétence à communiquer langagièrement». Si cet apprenant/acteur social réalise des activités langagières, comme la production et l'interaction orales, c'est en vue d'accomplir une tâche.

L'enseignant d'un cours de communication orale cherche donc à proposer les activités les plus authentiques possible. La participation à un groupe qui discute de véritables enjeux liés à l'intégration des immigrants permet justement à l'étudiant de réaliser des activités langagières axées vers la réussite d'une tâche.

Si le jumelage est pertinent dans une perspective actionnelle en FLS, il l'est aussi pour le développement des étudiants en travail social. En effet, le jumelage d'un groupe d'étudiants à majorité québécoise francophone et d'un groupe d'étudiants formé d'immigrants d'origines variées favorise la création d'un contact intergroupe qui produit des effets positifs sur la réduction des préjugés (Allport, 1954) et sur la vision de son propre groupe d'appartenance (Pettigrew, 1998). Ceux qui souhaitent approfondir les types de relations qui découlent de différents rapports intergroupes peuvent consulter le premier chapitre du présent livre.

En cohérence avec la théorie du contact intergroupe, le travail axé sur l'aide mutuelle mise sur la réciprocité, l'égalité entre les membres et la reconnaissance de leur interdépendance. Gitterman et Schulman (2005) présentent l'aide mutuelle en tant que processus où chaque membre offre et reçoit de l'aide, ce qui lui permet de vivre ses préoccupations de vie comme étant universelles, de réduire ses sentiments d'isolement et de stigmatisation et d'apprendre à partir de visions diversifiées. Le groupe devient un lieu privilégié où le membre est accepté, soutenu et compris par des pairs sans se sentir jugé, et où l'image de soi perçue comme déviante peut s'estomper.

L'action se fonde sur l'échange des forces des membres du groupe, maximisant les ressources de chacun. Le fait de soutenir, d'aider une autre personne permet de retrouver une confiance en son potentiel. Cette pratique met l'accent sur la richesse des différences et la confrontation des idées. Elle place les membres en position d'experts du contenu, alors que le facilitateur se charge du processus avec le mandat de mettre en place un système d'aide mutuelle composé de neuf dynamiques (Steinberg, 2008).

Cinq de ces dynamiques se retrouvent fréquemment dans les activités de jumelage interculturel en groupe : 1) le partage d'informations utiles au but du groupe, grâce auxquelles chaque membre peut devenir une ressource ; 2) le processus d'échanges incitant à la confrontation des idées et à la reconnaissance des différences ; 3) la discussion des tabous sociaux normalement jugés inacceptables, incitant le groupe à un travail en profondeur ; 4) le phénomène de «tous dans le même bateau», où chacun peut constater l'universalisation des situations ; et 5) l'expérimentation de nouvelles façons de penser et d'agir favorisant l'adoption de nouveaux comportements. Pour en connaître davantage sur ces dynamiques, le lecteur peut se référer au chapitre 4 du présent ouvrage.

Déroulement du projet

Préparation au jumelage et rôle des enseignantes

Pour les enseignantes de travail social et de FLS, la préparation du jumelage commence avant le début du trimestre. Chacune doit présenter à l'autre la structure de son cours et les objectifs du jumelage pour ses étudiants afin de pouvoir mettre sur pied une activité de jumelage propre à satisfaire les besoins des deux classes. Cela permet d'assurer que le jumelage sera décrit dans le plan de cours, au même titre que les autres activités, et qu'il sera perçu comme inhérent au cours par les étudiants.

La phase préparatoire est l'occasion de mettre en place les conditions essentielles sur le plan logistique. Elle inclut la comparaison de la taille des cours afin de prévoir le nombre de groupes, d'établir le calendrier des rencontres et de réserver des locaux adaptés aux besoins des groupes.

Description des deux groupes jumelés

Un groupe typique du cours obligatoire Intervention auprès des groupes en travail social est composé de 28 étudiants francophones – en fait surtout des étudiantes – de deuxième année de baccalauréat. Parmi eux, quelques étudiants sont nés à l'étranger et ont franchi toutes les étapes d'un parcours migratoire. Plusieurs suivent au même moment un cours obligatoire sur l'intervention sociale et les relations interculturelles. La grande majorité n'a aucune expérience d'intervention, le stage de formation pratique se déroulant en troisième année de baccalauréat. Un grand nombre d'étudiants appréhendent le travail avec les groupes, leur représentation du travail social étant d'abord l'intervention individuelle.

Un groupe typique du cours de communication orale en FLS est composé d'environ 35 étudiants, presque tous des immigrants. Ici aussi, il y a une majorité de femmes. Les étudiants sont issus d'horizons linguistiques et culturels divers. Le tiers environ est d'origine chinoise. Les autres viennent d'autres pays d'Asie du Sud-Est, des anciennes républiques soviétiques, des pays du Moyen-Orient et de l'Amérique latine. Il arrive qu'un étudiant qui participe à un échange international s'inscrive au cours. Les étudiants du groupe sont déjà assez compétents en français, puisque la réussite d'un test ou de cours préalables est nécessaire pour s'inscrire. Il faut avoir fait un minimum de trois trimestres de cours de francisation ou de FLS avant d'atteindre ce niveau.

Place de l'activité dans les cours

Le jumelage est obligatoire dans les deux cours. Les rencontres se déroulent pendant les heures normales de classe. Pour pouvoir intégrer de façon active les principes méthodologiques du travail social de groupe, les étudiants, en équipe de quatre, doivent concevoir et réaliser un projet d'intervention de groupe. Deux des trois modalités d'évaluation du cours portent sur ces aspects. La première consiste à évaluer les besoins des étudiants en FLS sur le plan de l'intégration à la vie québécoise et à élaborer un projet de nature à répondre à ces besoins. Cette première exigence est un préalable à la réalisation de quatre rencontres de groupe pendant lesquelles chaque membre de l'équipe aura à animer une séance. La seconde modalité vise à analyser individuellement et de façon critique la rencontre animée.

Les étudiants en FLS sont informés que la discussion qui tient lieu d'examen final portera sur leur expérience de jumelage. En effet, il s'agit d'un thème parfait pour vérifier que l'étudiant a bien atteint les quatre objectifs communicatifs du cours : être capable de décrire la personnalité de quelqu'un, de raconter un événement au passé, d'exprimer ses émotions, de parler de ses souhaits et de ses regrets.

Organisation et réalisation de l'activité de jumelage

La première phase de préparation du jumelage est effectuée par les étudiants en travail social. Sous la supervision de leur enseignante, ils préparent une liste de thèmes qui pourraient être abordés pendant les rencontres. Ces thèmes peuvent toucher différents enjeux sociaux liés à l'intégration d'une personne immigrante, notamment l'éducation des enfants, les relations hommes-femmes, la reconnaissance des acquis professionnels, les différences culturelles, entre autres.

À la quatrième semaine de cours, quelques représentants du groupe de travail social se présentent dans le cours de FLS. Ils expliquent qu'ils sont venus recueillir des renseignements pour former les meilleurs groupes possible en vue du jumelage. Chaque étudiant en FLS reçoit un formulaire à remplir sur lequel il doit inscrire son nom, ses coordonnées et les deux sujets qui l'intéressent le plus dans la liste proposée.

Pendant la cinquième semaine, les étudiants en travail social forment les groupes en tenant compte de divers critères de composition : intérêts similaires exprimés, diversité culturelle, équilibre hommes-femmes. Les listes sont envoyées à l'enseignante de FLS, qui vérifie que les noms de ses étudiants sont correctement transcrits et qui prépare une fiche individuelle indiquant à chacun le numéro du local où il doit se rendre.

À la sixième semaine, l'enseignante distribue les fiches et les membres de chaque groupe sont appelés à se rencontrer une première fois à l'occasion d'un dîner communautaire. Afin de sécuriser les étudiants de FLS, une étudiante ou un étudiant de chacune des équipes de travail social va chercher les membres de son groupe dans la classe de français et les accompagne jusqu'au nouveau local. À travers un échange informel, cette rencontre permet de briser la glace, de diminuer les craintes de part et d'autre et de valider les thèmes qui feront l'objet des quatre rencontres. Les étudiants en travail social quittent la rencontre avec toute l'information nécessaire pour élaborer le projet d'intervention (cours 7 à 10).

Les rencontres de groupe se déroulent de la onzième à la quatorzième semaine à raison d'une heure et demie par cours. En général, la structure d'animation est la suivante : 1) les quatre étudiants de l'équipe de travail social prennent en charge à tour de rôle l'animation d'une séance ; 2) l'animateur est assisté d'un aide-animateur dont le rôle est de le soutenir ; 3) les deux autres membres de l'équipe de travail social jouent le rôle de participants ainsi que d'observateurs ; et 4) cinq ou six étudiants de FLS agissent comme participants.

La première rencontre comprend deux parties : une présentation du projet entier et de l'entente sur le déroulement des rencontres ainsi qu'un échange sur un premier thème. Les deuxième et troisième rencontres sont consacrées à une discussion sur les sujets choisis, alors que la quatrième rencontre est l'occasion de terminer l'échange et de dresser un bilan de l'expérience.

Un retour sur l'animation de chacune des rencontres est effectué au début des cours de travail social afin de pouvoir apprendre des incidents qui ont pu survenir. De plus, à partir du bilan établi par les participants des divers groupes, le dernier cours se passe à tirer des conclusions et à répondre aux dernières interrogations sur les difficultés rencontrées.

Pendant les séances de jumelage, l'enseignante de FLS et les auxiliaires d'enseignement se distribuent les groupes pour observer la participation des étudiants de français et leurs efforts pour réemployer les formes étudiées en classe. Si un étudiant éprouve des difficultés particulières, l'enseignante fait un retour personnalisé auprès de cet étudiant avant la rencontre suivante. Le dernier cours est consacré à une discussion notée qui permet de dresser le bilan du trimestre et de l'expérience du jumelage. L'enseignante forme des équipes constituées d'étudiants issus de quatre groupes de jumelage différents. Chacun raconte alors la façon dont s'est passé le jumelage dans son groupe, ce qu'il a ressenti avant, pendant et après l'activité, ce qu'il a aimé et ce qu'il regrette. Les étudiants peuvent ainsi faire le point sur leurs acquis et découvrir les thèmes abordés par les autres groupes.

Pertinence de l'activité

Plusieurs éléments militent en faveur de la pertinence de réaliser en groupe le jumelage interculturel.

Tout d'abord, si le jumelage interculturel dans un groupe restreint est privilégié par les deux enseignantes, c'est que le groupe est reconnu comme un lieu favorable à l'interaction. Tant le cadre théorique préconisé dans le cours d'intervention auprès des groupes en travail social que l'approche adoptée dans le cours de communication orale en FLS mettent l'accent sur l'interaction. En entendant parler plusieurs locuteurs, natifs et non natifs, l'apprenant de français peut s'initier à un vocabulaire varié qu'il peut ensuite réemployer lorsqu'il prend la parole. Par ailleurs, comme chaque participant a un parcours migratoire unique, il peut introduire des réalités nouvelles pour les autres.

Stimuler les interactions est aussi une habileté indispensable pour l'intervenant qui a la prétention d'aider un groupe à développer son système d'aide mutuelle. De plus, le travail social de groupe est un mode d'intervention reconnu pour les bénéfices qu'il procure aux populations dont la qualité de vie est compromise par l'isolement, la précarité et la fragilité des liens sociaux (Turcotte et Lindsay, 2014). Offrir cette expérience de groupe à des personnes immigrantes en apprentissage du FLS qui ont peu de contacts avec la société d'accueil peut favoriser l'inclusion de celles-ci.

De plus, la présence de débats inhérents à un processus d'aide mutuelle permet de traquer les préjugés et les stéréotypes entre groupes différents. Les étudiants en travail social deviennent ainsi plus sensibles à la réalité pluri-ethnique, réalité à laquelle ils seront confrontés dans leur pratique quotidienne de travailleur social.

Enfin, un sondage mené par Berteau et Warin (2012) sur une période de trois ans (2010-2012) auprès de six groupes-classes du cours Intervention sociale auprès des groupes en travail social montre nettement que le fait de concevoir un projet et de le réaliser permet aux étudiants de s'approprier les objectifs du cours et plus particulièrement des notions d'aide mutuelle.

Discussion sur les points forts et les points faibles

Tout en reconnaissant que les moments profitables du jumelage ne surviennent pas de façon magique, les enseignantes des deux cours estiment que l'activité comporte de nombreux avantages. Mais qu'en est-il pour les étudiants des deux classes ? Une analyse des commentaires recueillis auprès des 39 étudiants de FLS ayant réalisé le jumelage à l'automne 2011 a permis de constater les points forts et les défauts de celui-ci, dans la perspective des apprenants en cours d'intégration à la société québécoise. La majorité des éléments signalés trouvent un écho du côté du cours de travail social. Dans les paragraphes suivants, les passages entre guillemets sont tirés du témoignage des étudiants. Rappelons que les noms des étudiants sont fictifs.

D'entrée de jeu, ce jumelage dans des groupes restreints pour discuter de thèmes liés aux enjeux réels de la personne immigrante contribue à faire de l'apprenant un acteur social : une personne capable d'interagir avec les autres pour faire face plus adéquatement à la réalité dans laquelle elle vit. L'apprentissage de la langue s'inscrit donc dans une perspective actionnelle, ce qui est conforme aux plus récents modèles pédagogiques et au Cadre européen commun de référence pour les langues (Conseil de l'Europe, 2001). Ainsi, presque tous les étudiants ont expliqué qu'ils avaient joué un rôle actif dans le choix des thèmes qui portaient sur « [le] *problème qui* [les] *touche, qui* [les] *intéresse* », tel que « *l'école publique et l'école privée au Québec, parce que tout le monde qui* [a] *des enfants* [a] *ce problème* ».

Un autre avantage du jumelage en groupe pour les apprenants du FLS, c'est la création d'un climat favorable à l'échange. Pour eux, «*c'est bon* [de] *partager avec les autres, c'est une expérience unique*». Les étudiants plus timides peuvent prendre le temps de développer leur confiance avant de s'exprimer, ce qui n'est pas possible dans un jumelage en dyade. Pour les étudiants de travail social, la formule de groupe présente le même type d'avantages. Comme ces étudiants sont réunis dans une équipe d'animation formée de quatre personnes, chacun peut se sentir solidement appuyé par ses coéquipiers au moment d'animer une séance en présence des non-francophones, une tâche qui demande beaucoup d'efforts à ceux qui n'ont pas encore mis en pratique les concepts acquis pendant leurs études en travail social.

La confiance des étudiants en FLS augmente d'autant plus vite qu'ils peuvent faire un réemploi de leurs acquis grammaticaux et lexicaux sans se sentir jugés en cas d'erreurs. Un étudiant explique que «*les professeurs sont* [là] *pour corriger*» et qu'il est plus «*intimidé de parler avec les professeurs qu'avec les étudiants*». Les étudiants acquièrent le sentiment que, même s'ils ne maîtrisent pas parfaitement la langue, il est essentiel de parler, car leur message est important pour les autres : «*Chacun de nous a fait beaucoup d'erreurs dans notre langue parlée, mais les filles étaient toujours prêtes d'attendre d'écouter chaque fois... nous avons répété quelques fois peut-être la même phrase, mais elles étaient très attentionnées.*» Dans ce climat favorable, les étudiants apprennent progressivement quels types d'erreurs linguistiques brisent la communication et quels types d'erreurs passent inaperçus dans la parole spontanée.

Sur le plan interculturel, les acquis des étudiants de FLS semblent plus variables selon la dynamique de leur groupe d'échange. Même si des cours de phonétique et de compréhension orale initient les étudiants à certaines caractéristiques du français familier parlé au Québec, plusieurs éprouvent un choc initial en entendant leurs jumeaux francophones parler avec un accent québécois de niveau familier. Ils sont surpris de réaliser qu'au Québec la langue dite familière est utilisée même dans le contexte d'un travail universitaire. Une fois le choc initial franchi, la plupart perçoivent d'un œil positif cette occasion de s'habituer à mieux comprendre les spécificités linguistiques de leur société d'accueil.

Dans la plupart des groupes, l'échange interculturel se réalise dans le cadre d'un aller-retour entre au moins trois cultures. La majorité des étudiants de travail social réussissent à laisser une bonne place à chacun pour qu'il parle de son expérience dans son pays, tout en donnant beaucoup de renseignements sur le Québec. Pour plusieurs étudiants en FLS, le jumelage a été l'occasion de transformer certaines habitudes. Par exemple, une étudiante d'origine chinoise y a découvert le fromage : «*J'ai essayé de manger du fromage et maintenant je l'aime beaucoup.*» Cet exemple alimentaire montre comment le jumelage peut permettre aux étudiants de se construire une nouvelle identité culturelle, dans laquelle des aspects positifs de leur nouveau milieu se greffent à ceux qu'ils ont amenés de leur pays natal.

Du côté des étudiants de travail social aussi, le partage d'informations multiples sur des éléments de la vie quotidienne provenant de cultures différentes permet de découvrir la richesse de la diversité. De plus en plus, les groupes s'aventurent sur des thèmes sociaux jugés tabous dans la culture de certains membres, francophones ou immigrants. Par exemple, dans les groupes de jumelage de l'automne 2013, il y a eu plusieurs échanges sur les relations hommes-femmes au Québec, sur les raisons du haut taux d'union libre chez les Québécois et sur l'homosexualité. La question de non-reconnaissance des diplômes fut souvent au cœur des débats, permettant ainsi de dénoncer cette réalité. Enfin, le soutien à l'égard des situations de tous (francophones et non-francophones) est omniprésent, ne serait-ce que par l'encouragement mutuel sur le plan de la prise de la parole en français ou sur la capacité d'animer un groupe. Un avantage du jumelage pour les étudiants de travail social est donc l'expérimentation et l'apprivoisement d'un mode d'intervention qui au point de départ n'est pas toujours recherché et dans lequel ils découvrent la force du groupe et les bénéfices de l'aide mutuelle.

Par contre, un jumelage en groupe ne présente pas que des avantages. Pour que le groupe puisse fonctionner, il faut que tous les membres travaillent dans un but commun. Lorsque ce n'est pas le cas, au moins une partie des membres du groupe ressentent de la frustration. Ainsi, quelqu'un mentionne : «Je voulais apprendre des nouvelles choses du Québec, mais nous parler... nous parlions beaucoup, beaucoup de traditions des Chinois.» Une autre étudiante du même groupe signale : «Si j'étais étudiante francophone québécoise, j'aurais parlé de sujets qui étaient sur les traditions des Québécois.» Aucun autre membre du groupe n'exprime de mécontentement face aux thèmes abordés. Ces témoignages montrent qu'équilibrer les besoins des individus et du groupe est l'un des grands défis de ce type de jumelage.

Il faut aussi se rappeler que la plupart des étudiants en travail social en sont à leur première expérience. Trois types de difficultés normales chez les débutants en travail de groupe sont notés. D'abord, ce ne sont pas tous les étudiants qui ont de la facilité à animer un groupe : certains sont parfois trop centrés sur le contenu à faire passer, négligeant ainsi le potentiel d'aide mutuelle, alors que d'autres sont du genre laisser-faire, perdant de vue l'objectif du groupe ou l'équilibre entre les interactions. De plus, les étudiants en travail social trouvent parfois difficile de s'ajuster aux personnes qui n'ont pas un niveau de français élevé. Enfin, ils se sentent mal à l'aise lorsque certains apprenants, qui les voient comme des auxiliaires d'enseignement de langue seconde, leur demandent de corriger leur français. Ils composent mal avec le fait que les non-francophones viennent d'abord pour apprendre la langue et non pour vivre une expérience d'échange interculturel, alors que le cours insiste sur les notions de réciprocité, d'aide mutuelle et de reconnaissance de la différence de l'Autre.

En étant conscientes des problèmes pouvant survenir, les enseignantes des deux cours peuvent se montrer proactives pour faciliter la réussite de l'activité.

Quelques recommandations pour un jumelage réussi

Les défis du jumelage se situent principalement sur le plan organisationnel. L'activité exige une bonne dose de synchronisation entre les cours jumelés, qui doivent avoir la même plage horaire, des objectifs compatibles, des activités assez flexibles pour permettre l'atteinte des objectifs d'apprentissage. L'exigence de réaliser l'activité en groupe restreint ajoute à la complexité, puisque cela requiert un grand nombre d'étudiants non francophones. Un travail préparatoire concerté des deux enseignants souhaitant se lancer dans une activité de jumelage fait en sorte que celle-ci pourra se dérouler sans heurts.

Un autre défi lié au jumelage de groupe concerne la gestion du temps. Il est impossible pour un groupe d'une dizaine de participants de trouver une plage horaire commune pour se réunir. Les calendriers des deux cours doivent donc être conçus pour libérer quatre demi-périodes d'une heure trente pendant les heures de cours. Des choix pédagogiques sont faits de part et d'autre. Pour réaliser l'activité de jumelage, les enseignants du cours sur l'intervention sociale de groupe ont privilégié la pédagogie par projet, ce qui impose un encadrement serré en ce qui a trait à la gestion du temps. Comme l'ensemble du cours est centré sur le projet à réaliser, certaines stratégies d'apprentissage reconnues pour leur efficacité (comme l'invitation de personnes-ressources, l'exercice de simulation) sont mises de côté. Sur le plan de l'apprentissage, le fait de réaliser un projet de groupe peut générer un niveau de stress élevé, surtout lors de la phase de préparation du projet. Un enseignant a avantage à dédramatiser la situation afin d'éviter que des tensions viennent alourdir le climat de la classe.

De la même manière, dans le cours de FLS, quelques activités de communication orale prévues dans le recueil ne sont pas faites. La plupart des étudiants n'y voient aucun problème. Plusieurs expriment même le souhait que les séances de jumelage soient plus longues ou qu'il y en ait plus souvent. Cependant, quelques étudiants se sentent privés d'une partie du contenu du cours. D'après eux, « [ils ont] *perdu beaucoup de choses* ». Un enseignant conscient que des étudiants penseront probablement ainsi peut prendre le temps d'expliquer au groupe que les mêmes habiletés à la communication orale seront développées à l'intérieur du jumelage que par les activités du recueil, et dans un contexte plus authentique.

Le troisième défi concerne la qualité du français de quelques étudiants francophones. N'étant pas des spécialistes de la langue, ceux-ci sont susceptibles de reproduire certains comportements langagiers fautifs répandus dans la population québécoise. Par exemple, il arrive qu'un étudiant de travail social utilise à répétition la forme fautive « si tu aurais » pendant une séance de jumelage. Au moment d'enseigner la formulation d'hypothèses, l'enseignant de FLS peut faciliter la compréhension de ses étudiants en leur expliquant qu'ils pourraient entendre cette forme, mais qu'elle n'est correcte ni en français standard ni en français familier. De son côté, en prenant quelques minutes pour rappeler à ses étudiants que, sans devenir des moniteurs de français, ils doivent être conscients qu'ils servent de modèles à leurs jumeaux, celui qui enseigne aux francophones peut les encourager à éviter de recourir à un registre populaire pendant le jumelage.

Ces quelques défis ne devraient pas être vus comme des obstacles à la réalisation d'un jumelage. Au contraire, ils contribuent à rendre l'expérience unique et à enrichir le parcours des étudiants des deux groupes.

Impact de l'activité

Le jumelage décrit ci-dessus est une activité structurante à plusieurs égards. Il est d'abord une occasion de créer des relations entre deux départements de deux facultés différentes de l'université, celles de communication et des sciences humaines. Cela augmente la cohésion au sein de l'établissement. En outre, pour les étudiants des deux cours, le fait d'élargir leur réseau de contacts à l'extérieur de leur programme d'attache accroît le sentiment d'appartenance à l'université.

Un autre effet structurant en travail social du jumelage est de favoriser l'intégration du contenu de deux cours, celui sur l'intervention sociale de groupe et celui sur l'interculturalité. Selon les résultats des sondages menés par Berteau et Warin (2012), cette expérience permet aussi aux étudiants de se projeter différemment dans leur stage de formation pratique en envisageant plus sérieusement l'éventualité d'y inclure les dimensions d'interculturalité et de travail de groupe axé sur l'aide mutuelle. Dans l'ensemble, cette expérience structure la préparation du futur travailleur social, qui sera appelé à intervenir à la fois dans une perspective interculturelle et avec des groupes où la diversité sera omniprésente.

En ce qui concerne les stratégies pédagogiques proposées aux étudiants, le jumelage les force à sortir de leur zone de confort et à confronter leurs apprentissages à une tâche semblable à ce qui les attend dans la vie réelle. En effet, si le cours d'intervention en travail social reposait uniquement sur des concepts théoriques et sur l'étude de cas hypothétiques, les étudiants ne seraient pas aussi bien préparés à l'écart existant entre le modèle idéal et la multitude d'éléments qui font que chaque groupe construit sa dynamique unique. De même, dans le cours de communication orale, l'enseignante peut informer ses étudiants à propos de certaines chutes du *e* fréquentes ou d'autres caractéristiques du français parlé, mais rien ne peut remplacer un contact réel avec un grand nombre de francophones pour comprendre lesquelles de ces formes sont généralisées ou non.

Pour toutes ces raisons, le jumelage joue un rôle important pour élargir et transcender l'expérience universitaire des étudiants des deux groupes.

Appréciation des étudiants

La discussion sur les forces et les faiblesses de la formule de jumelage a déjà permis de faire ressortir divers commentaires reçus des étudiants qui ont participé à l'activité. Que ce soit en travail social ou en FLS, le jumelage à l'intérieur de groupes restreints est perçu très positivement par la quasi-totalité des participants.

Des diverses sources consultées (sondages, évaluation des enseignements, rétroaction en classe), il ressort un haut taux de satisfaction chez les étudiants en travail social. Pour eux, l'expérience est unique. Le cours et la formule du jumelage semblent être des éléments marquants de leur scolarité. Ils apprécient fortement l'aspect concret et donc la conception et l'expérimentation du projet d'intervention. Sur le plan des notions les plus significatives, les aspects du processus de groupe, du développement de l'aide mutuelle et de la position de l'intervenant sont ceux qui retiennent le plus leur attention. Le fort accent mis sur ces notions laisse entrevoir qu'à travers l'activité de jumelage les étudiants ont pu vivre certains aspects d'aide mutuelle à l'intérieur des groupes. Plusieurs étudiants expriment leur satisfaction à l'égard du cours en raison du projet avec les personnes immigrantes. Ils en traitent souvent sous l'angle de la « découverte de l'Autre ». À titre d'exemple, les étudiants en travail social disent réaliser le courage que « *cela prend d'être immigrant et surtout d'apprendre le français* ».

Du côté des étudiants en FLS, l'annonce initiale de l'activité de jumelage soulève chez certains étudiants un questionnement quant à son utilité. Toutefois, au moment de dresser le bilan, nombreux sont ceux qui constatent que le jumelage a contribué à leurs progrès en français. Un participant a expliqué : « *Je pensais après une demi-heure de rencontre que ce n'est pas quelque chose d'important, mais maintenant je vois que ça donne beaucoup de possibilités de parler.* » Quelqu'un d'autre admet : « *Au début, je n'étais pas trop intéressée au jumelage [...], mais petit à petit j'ai adopté cette activité, pas pour chercher du travail, mais pour écouter, pour l'oral.* » À la fin du trimestre, la majorité des apprenants disent regretter que les séances de jumelage ne soient pas plus longues ou que le jumelage ne soit pas organisé sur un plus grand nombre de semaines.

De façon générale, les étudiants en FLS soulignent avec chaleur l'investissement des étudiants de travail social dans le projet. Ils disent que leurs jumeaux francophones leur ont proposé des activités « *bien structurées avec beaucoup de matériel* », que ce sont des personnes courageuses, généreuses et travaillantes et que, « *même si elles sont plus jeunes qu'*[eux], *elles* [leur ont] *donné beaucoup, beaucoup d'aide, ont pris les informations sur les sujets, accompli les activités, amené les discussions et puis fait le bilan d'expériences* ». Pour certains, il est surprenant et réconfortant de voir que des Québécois autres que leurs enseignants de FLS travaillent réellement à leur intégration à la société d'accueil.

Conclusion

Une activité de jumelage interculturel en groupe restreint facilite l'atteinte des objectifs d'apprentissage à la fois des étudiants en communication orale et de ceux en travail social. De plus, cette activité contribue à former des citoyens qui vont mieux comprendre les défis liés à la dimension interculturelle de la société. Même si cette activité peut paraître exigeante, les résultats justifient pleinement les efforts investis[1].

Bibliographie

Allport, G.W. (1954). *The Nature of Prejudice*, Boston, Addison-Wesley.

Amireault, V. et J. Bertrand (2013). «Le développement de la compétence interculturelle chez les apprenants adultes : pistes didactiques», Communication présentée au 33e congrès de l'Association québécoise des enseignants de FLS, Laval, Canada.

Berteau, G. et L. Warin (2012). «Définition des phénomènes d'aide mutuelle dans "L'aide mutuelle comme dispositif pédagogique en travail social : leviers et freins"», Recherche en cours.

Conseil de l'Europe (2001). *Cadre européen commun de référence pour les langues – Apprendre, enseigner, évaluer*, Paris, Didier.

Gitterman, A. et L. Shulman (2005). *Mutual Aid Groups, Vulnerable and Resilient Populations, and the Life Cycle*, New York, Columbia University Press.

Pettigrew, T.F. (1998). «Intergroup contact theory», *Annual Review of Psychology*, vol. 49, p. 65-85.

Steinberg, D. (2008). *Le travail de groupe : Un modèle axé sur l'aide mutuelle*, Québec, Les Presses de l'Université Laval.

Turcotte, D. et J. Lindsay (2014). *L'intervention sociale auprès des groupes*, Montréal, Gaëtan Morin éditeur et Chenelière éducation.

---

1.   Les auteures tiennent à remercier Valérie Amireault pour la transcription des fichiers sonores et la réalisation d'une première analyse des commentaires des étudiants FLS (Amireault et Bertrand, 2013).

Chapitre 8.

JUMELAGE PAR COUNSELING POUR FAVORISER LA COMPRÉHENSION ORALE

Josée BLANCHET
École de langues, Université du Québec à Montréal

Cynthia MARTINY
Département d'éducation et pédagogie, Université du Québec à Montréal

LE JUMELAGE DONT IL EST QUESTION DANS CE CHAPITRE CONCERNE un cours de français langue seconde (FLS), *Compréhension orale – Niveau avancé I*, et un cours de carriérologie, Counseling en contexte pluriethnique, respectivement donnés à l'École de langues et au Département d'éducation et pédagogie de l'UQAM. Pour alléger le texte, nous nommerons «étudiants FLS» les étudiants du cours de compréhension orale et «étudiants CAR», les étudiants de carriérologie. Ce chapitre présentera le projet de jumelage, avec ses objectifs, sa pertinence et ses assises théoriques, ainsi que son déroulement, ses effets, ses forces et ses faiblesses.

Cours jumelés : *Compréhension orale* et *Counseling en contexte pluriethnique*

Le cours de compréhension orale se donne dans le cadre d'un certificat universitaire visant une mise à niveau en français pour les personnes dont le français n'est pas la langue première. Ce cours se donne en grand groupe dans un auditorium pourvu d'un appareillage multimédia. L'écoute guidée de reportages, de documentaires, de films de fiction et de capsules vidéo est utilisée pour exposer les étudiants à une grande variété de styles oraux et de registres. L'objectif principal du cours est d'outiller l'apprenant pour qu'il soit en mesure de comprendre des dialogues formels et informels, avec deux participants ou plus, en utilisant des stratégies efficaces pour extraire le sens du message. L'acquisition de la terminologie relative à divers domaines ainsi que l'appropriation d'éléments culturels particuliers à la culture francophone québécoise figurent également parmi les objectifs du cours.

Le cours de counseling en contexte pluriethnique est un cours obligatoire en fin de parcours pour les étudiants inscrits au programme de baccalauréat en développement de carrière. Ce programme échelonné sur trois ans forme les étudiants afin de les rendre aptes à accompagner des personnes voulant entreprendre, planifier, poursuivre ou modifier leur projet de vie pour ce qui a trait aux études et à la carrière. Les étudiants du programme acquièrent des connaissances sur l'information scolaire et professionnelle et développent leurs compétences en relation d'aide et d'accompagnement, appliquées au développement de l'employabilité et de la recherche d'emploi. Ce cours comprend des exposés magistraux et des exercices pratiques sur la communication interculturelle en situation de counseling et sur le développement de carrière des personnes issues de l'immigration. Des séances de supervision collective portant sur les rencontres entre les étudiants jumelés sont également au programme.

Pertinence du jumelage par rapport aux objectifs des cours

Pour être en mesure de comprendre la section suivante, il est utile de savoir que les rencontres des jumeaux sont filmées dans un studio et que la tâche évaluée relative au jumelage, de part et d'autre, porte sur une analyse *a posteriori* de la rencontre, analyse qui a lieu lors du visionnement en différé de la vidéo.

En ce qui concerne le cours de compréhension orale, le jumelage offre tout d'abord à l'étudiant l'occasion de vivre une conversation réelle et de mettre à l'épreuve les acquis du cours sur les plans linguistique et stratégique. Le jumelage offre en outre une occasion d'intégrer les éléments culturels concernant le monde du travail au Québec et, bien sûr, d'acquérir du vocabulaire sur le domaine de l'emploi.

En ce qui concerne le cours de counseling en contexte pluriethnique, l'objectif des jumelages est de maîtriser les attitudes et les habiletés requises pour créer un climat de confiance et pour répondre de façon appropriée, lors des interactions, aux besoins «carriérologiques» des personnes issues de l'immigration.

Rappel des assises théoriques

Les stratégies de compréhension enseignées dans le cours de compréhension orale se répertorient sous deux grandes catégories : les stratégies descendantes (*top-down*), c'est-à-dire celles qui permettent d'appréhender le sens global du message pour ensuite en comprendre les détails, et les stratégies ascendantes (*bottom-up*), soit celles qui servent à décoder le signal sonore pour identifier les mots clés et remonter au sens global.

Parmi les stratégies descendantes, on compte le repérage du sujet principal, l'activation des connaissances antérieures, l'anticipation et les inférences. Ces stratégies sont généralement reconnues comme efficaces (Graham et Macaro, 2008 ; Hinkel, 2006 ; Verdugo et Belmonte, 2007). Les étudiants apprennent à utiliser ce type de stratégies pour compenser leur inhabileté à reconnaître la forme orale des mots ou à traiter l'information suffisamment rapidement. Cependant, pour que l'exercice de compréhension ne se déroule pas exclusivement sur le mode compensatoire, il est souhaitable d'appliquer également des stratégies ascendantes, donc des stratégies qui améliorent les aptitudes de décodage des mots. Manquer un mot peut en effet équivaloir à rater tout un énoncé, fait mis en évidence par Field (2003). Plusieurs études démontrent qu'un enseignement explicite axé sur la prise de conscience des phénomènes phonétiques de la parole continue influence de façon significative la compréhension des apprenants (Dai et Liu, 2012 ; Field, 2008 ; Kennedy et Blanchet, 2014). C'est d'ailleurs par le recours à des stratégies ascendantes que l'apprenant arrive à décoder la variation linguistique et à s'outiller pour comprendre le français dans ses formes courantes, avec les réductions de l'oral informel (Fay-Baulu et Legoux, 1990 ; Poulin-Mignault et Six, 1990). Aussi est-il important d'inclure au programme une variation linguistique représentative du milieu authentique (Fox, 2002).

Les stratégies enseignées s'inscrivent dans une séquence pédagogique tenant compte de processus métacognitifs, comme l'attention sélective, l'évaluation et la résolution de problème. Les apprenants sont ainsi appelés à constater quels processus sont en cause lorsqu'ils appréhendent un document ou une situation d'écoute, à en discuter avec leurs collègues de classe, à comparer leurs notes, à cerner les problèmes et sources d'erreurs et à y remédier lors des écoutes suivantes (Cross, 2009 ; Vandergrift et Goh, 2012 ; Vandegrift et Tafaghodtari, 2010). Des discussions guidées sont utilisées pour faire prendre conscience aux apprenants du degré d'efficacité des stratégies qu'ils utilisent.

En résumé, les stratégies ascendantes et descendantes s'inscrivent dans une séquence pédagogique qui favorise une prise de conscience et un ajustement graduel de l'étudiant. Récemment, la perspective actionnelle (voir le chapitre 3 du présent ouvrage, par Deraîche et Lamoureux, pour une présentation complète) est venue ajouter un élément ultime à toute séquence pédagogique visant l'apprentissage d'une langue, celui de la participation à un projet commun avec des «citoyens» (Richer, 2009). Puisque le but de l'apprentissage est la pratique de la langue en situation authentique, l'activité pédagogique par excellence met en contact les apprenants FLS et les «citoyens», en l'occurrence des francophones du Québec, dans un projet commun, par le biais d'une «tâche» ou d'une «activité» réciproquement bénéfique et se focalisant sur un résultat.

Lors de la rencontre, les étudiants FLS et CAR prennent effectivement part à un projet qui a une finalité commune : l'élaboration d'un plan de carrière ou «bilan d'employabilité» pour l'apprenant FLS. Cependant, une tâche différente s'applique à l'analyse des entrevues filmées au moment où l'on procède de part et d'autre à l'identification des incidents (dans l'application des stratégies de compréhension ou de counseling) et à une réflexion sur les processus métacognitifs à l'œuvre.

Parlons maintenant de la démarche pédagogique adoptée dans le cours de counseling. Le principe d'un modèle ascendant (*bottom-up*) d'enseignement trouve son parallèle dans le curriculum du programme de développement de carrière. En effet, les étudiants CAR amorcent leurs apprentissages en counseling par l'acquisition d'habiletés de communication et progressent graduellement vers l'intégration affective, attitudinale et métacognitive du processus (Ridley, Mollen et Kelly, 2011a) en fin de parcours. Sur le plan pédagogique, le jumelage s'inscrit dans une démarche similaire à celle décrite plus haut pour l'apprentissage de la compréhension orale, en ce sens que la rencontre fournit une occasion de mettre en pratique les compétences acquises en classe, tandis que l'analyse de la rencontre permet de réfléchir sur les processus métacognitifs à l'œuvre.

Cette réflexion est d'autant plus productive qu'elle est partagée en groupe avec les autres étudiants CAR du cours lors de séances de supervision collective. Les discussions qui ont lieu durant ces séances visent à vérifier si les besoins de l'étudiant FLS, pour ce qui a trait à l'exercice de développement de carrière, ont été comblés. Elles permettent en outre de ventiler les conceptualisations du processus de counseling et d'aborder les questions relatives au degré de professionnalisme attendu dans le domaine (Ridley, Mollen et Kelly, 2011b).

Pour conclure cette section, soulignons que le principe actionnel appliqué dans ce jumelage, celui du projet commun et réciproquement bénéfique, fait écho au principe de l'approche orientante et à ses concepts d'infusion et de collaboration avec le milieu (voir le chapitre 5 dans le présent livre).

Préparation au jumelage

La préparation au jumelage inclut au moins une rencontre entre les enseignants des deux cours pour leur permettre d'échanger sur la faisabilité et l'intérêt du projet. Les professeurs arriment les objectifs, la compatibilité des tâches à accomplir de part et d'autre et les dates de remise des travaux de leurs cours respectifs. Ils s'entendent pour donner des explications claires aux étudiants sur les objectifs et sur la logistique (prise de contact, fréquence, durée, lieux, échéancier).

Participants

Les étudiants FLS (n = 52) sont pour la plupart des adultes immigrants arrivés au Québec dans les trois années précédant le jumelage. L'âge moyen est de 37 ans (entre 21 et 48 ans) et les langues premières représentées sont variées. Il s'agit de personnes scolarisées qui ont pour la plupart acquis des compétences et une expérience professionnelle dans leur pays d'origine.

Les étudiants de counseling (n = 59) viennent de trois groupes-cours dont les plages horaires et les enseignants diffèrent. Il s'agit de jeunes adultes (de 22 à 32 ans), pour la plupart des femmes francophones québécoises, arrivant à la fin de leur baccalauréat universitaire.

Place de l'activité dans le cadre des cours

Le jumelage entre les étudiants FLS et CAR a lieu durant la deuxième moitié du trimestre, pendant huit semaines. Les étudiants suivent entre sept et huit cours magistraux avant le début des jumelages. Chaque étudiant a trois rencontres d'une heure à prévoir avec son jumeau.

Entre chaque rencontre, les étudiants CAR assistent en moyenne à sept séances de supervision collective, dans des petits sous-groupes (maximum de 12 personnes) et en présence de l'enseignant, ce qui signifie que les étudiants ont l'occasion de recevoir une rétroaction directe après chacune de leurs entrevues. Les apprenants FLS, pour leur part, ont le choix de remettre leurs devoirs d'analyse des entrevues au fur et à mesure ou à la fin du cours. Chaque cours de compréhension orale comporte un suivi d'une vingtaine de minutes sur l'activité de jumelage, sous forme de discussion en grand groupe.

Organisation et réalisation de l'activité

Les apprenants FLS et les étudiants CAR répondent à un très bref questionnaire sur leurs intérêts professionnels et sur leurs disponibilités. Les auxiliaires d'enseignement veillent au pairage et à sa logistique.

Pour le cours de communication orale, un document de consignes de base est distribué aux participants pour les renseigner sur les aspects pratiques du jumelage : comment entrer en contact avec son jumeau, où se rendre, quoi apporter. Les objectifs respectifs des étudiants CAR et des apprenants FLS sont énoncés. Le but ultime des apprenants FLS est de participer à un exercice qui affine leur compréhension orale en contexte réel ; celui des étudiants CAR est de pratiquer la relation d'aide et d'accompagner leur jumeau dans son projet de poursuite d'études et de développement de carrière.

Les apprenants FLS sont mis au courant du déroulement général des entrevues qui suivront la progression suivante : faire connaissance et parler de parcours professionnel, d'intérêts et d'aptitudes ; évoquer la situation actuelle et les aspirations futures de l'apprenant FLS ; renseigner le jumeau FLS sur ses options d'études ou de carrière, préparer la démarche de recherche de travail, pratiquer les entrevues de sélection ou examiner le processus de reconnaissance des acquis ; préciser les démarches futures. À la fin du projet, l'étudiant CAR remet à l'étudiant FLS un document faisant état de son employabilité.

Trois rencontres de counseling sont donc prévues. Au cours de ces séances, les participants CAR accompagnent les participants FLS dans leur réflexion sur le domaine professionnel visé, et ils les guident dans les démarches à prévoir et à entamer. Les rencontres durent une heure et sont filmées dans un studio d'autoproduction de l'université. Les étudiants CAR sont chargés de la capture vidéo des rencontres à l'issue desquelles les fichiers vidéo sont transférés sur les clés USB respectives des participants, afin que chacun soit en mesure d'analyser la rencontre en différé.

Tâche des apprenants FLS

L'apprenant FLS doit se rendre à la première rencontre avec un curriculum vitæ qui sert de point de départ aux discussions. Son curriculum vitæ pourra être modifié graduellement pour refléter l'évolution de sa réflexion. La plupart des apprenants FLS s'investissent dans cette démarche par intérêt personnel et professionnel, et participent pleinement même si leur évaluation ne porte pas sur cet aspect de la rencontre.

En effet, la tâche évaluée porte sur la compréhension orale à partir d'une analyse en différé des rencontres. Trois devoirs sont à remettre, un par entrevue, pour un total de 15 % de la note finale du cours. En visionnant la vidéo de l'entrevue, l'étudiant FLS doit repérer trois bris de compréhension, chez son jumeau ou lui-même, en déterminer la cause, qu'elle soit linguistique, pragmatique ou attribuable à une stratégie de compréhension inefficace. Les bris de compréhension qui n'ont pu être clarifiés lors de l'entrevue ou de l'analyse doivent être soumis à une discussion avec le jumeau CAR au début de la rencontre suivante.

Tâche des étudiants CAR

Tout d'abord, les étudiants CAR préparent des lettres de consentement qui décrivent les objectifs des rencontres, le déroulement et l'utilisation des enregistrements en supervision collective, dans des groupes restreints et uniquement à des fins pédagogiques[1]. Avant le début des rencontres, ils prennent connaissance d'une grille de bilan d'employabilité des nouveaux arrivants, prennent rendez-vous et réservent le studio. Après chaque rencontre filmée, les étudiants CAR visionnent et analysent leur entrevue.

Par écrit, ils évaluent l'efficacité des types d'interventions utilisés et la façon dont l'entrevue a été conceptualisée et structurée. Ils analysent également leur compréhension des besoins de la personne immigrante rencontrée et leurs propres attitudes et sentiments par rapport à ce qu'ils ont vu et entendu. Ils préparent un segment de l'entrevue à visionner en supervision collective et reçoivent les rétroactions des pairs et de leur professeur. Ils tiennent un dossier évolutif des rencontres et ils préparent un bilan qu'ils fournissent à l'étudiant FLS à la fin du projet. L'ensemble des travaux en lien avec ces rencontres compte pour plus de la moitié de leur note finale. Ils sont notés en accord avec les principes éthiques et les compétences en counseling interculturel reconnues par les praticiens actuels (Fouad, Grus, Hatcher, Kaslow, Hutchings, Madson et Crossman, 2009).

Tâches en présence et en différé

L'analyse en différé, si elle est lourde sur le plan logistique (réserver un studio, filmer, transférer les vidéos), a l'avantage de décharger l'entrevue du poids de l'évaluation et de permettre aux participants de se concentrer pleinement sur la rencontre. Par exemple, les étudiants CAR, même s'ils assument un rôle de leadership, ne sentent pas la pression de réagir parfaitement lors de l'entrevue, puisque c'est sur leur capacité d'analyse *a posteriori* que portera leur évaluation.

But des tâches

Le but principal de la rencontre, pour ce qui a trait à la tâche de l'étudiant FLS, est de se prêter à l'exercice d'orientation. Le but de l'analyse en différé est de porter attention à la manière dont se déclarent les situations d'incompréhension. Les bris peuvent se produire en raison de l'accent ou du débit de l'interlocuteur, de la non-reconnaissance ou de la mauvaise interprétation d'un mot, de l'application d'une stratégie inefficace (p. ex. une attention sélective soutenue pour les détails) ou d'un décalage sur le plan pragmatique.

Les étudiants peuvent ainsi prendre conscience de ce qui conduit à l'incompréhension, juger du degré d'efficacité de leurs stratégies, que ce soit en counseling ou en compréhension, et ajuster leur approche. Une étudiante FLS a par exemple pris conscience de ses réflexes de feinte en situation de communication authentique. Peu rassurée par ses habiletés restreintes en français et soucieuse de ne pas faire «perdre son temps» à son interlocutrice, elle faisait semblant de comprendre, jusqu'à ce qu'elle prenne conscience qu'en appliquant

---

1. Les enregistrements sont détruits à la fin du cours.

cette stratégie elle privait sa jumelle et elle-même des bénéfices de l'exercice. L'étudiante CAR, en parallèle, a pu analyser ses réactions face au malaise suscité par l'attitude de sa jumelle, en identifier les causes et s'outiller, grâce aux conseils reçus lors de sa séance de supervision collective, pour ajuster le rapport de même que les objectifs de l'exercice.

Rôle des enseignants

L'enseignante FLS guide les étudiants tout au long des semaines de jumelage. Elle s'assure que la tâche de compréhension est bien comprise et intégrée, mais aussi que les étudiants s'investissent dans les tâches non évaluées concernant le bilan d'employabilité. Elle fait un suivi et présente en classe du matériel pédagogique thématique dans le but de soutenir la motivation et d'élargir le vocabulaire pertinent. Elle ajuste au besoin la tâche de compréhension (comme dans le cas de ces étudiants qui rapportaient une absence totale de bris de compréhension lors de leur rencontre en se demandant comment procéder pour l'analyse). L'enseignante veille également au respect de la confidentialité. L'auxiliaire d'enseignement prend en charge le fonctionnement logistique et technique de l'opération.

L'enseignant de counseling de carrière en contexte pluriethnique veille à ce que les étudiants participants CAR soient autonomes par rapport aux décisions les concernant. Il s'assure aussi que leur consentement est éclairé. En principe, les rencontres ont pour objectif d'aider les participants. Si les avantages de l'activité ne l'emportent pas sur ses inconvénients, les participants peuvent mettre fin à leur participation à n'importe quel moment et sans préjudice. L'enseignant assure que la confidentialité et l'anonymat sont respectés, et qu'aucun mécanisme d'exclusion (stéréotypes, préjugés, discrimination et racisme) ne se construit durant l'activité. Il est aussi garant d'un climat de classe sécurisant qui facilite la révélation de soi, les rétroactions honnêtes et constructives entre les pairs, le soutien psychologique et la stimulation au développement des compétences interculturelles (Kaduvettoor, O'Shaughnessy, Mori, Beverly III, Weatherford et Ladany, 2009). Enfin, il est de la responsabilité de l'enseignant d'établir un réseau de soutien pour le cours au cas où l'exercice de counseling ferait ressortir des situations personnelles requérant une aide à l'extérieur du cours.

Pertinence du jumelage

Les apprenants FLS étudient pour la plupart à temps plein, mais ils sont appelés dans un avenir assez rapproché à intégrer le marché du travail pour subvenir à leurs besoins et à ceux de leur famille. Le jumelage est ainsi pertinent sur trois plans : 1) il permet aux étudiants de réaliser des avancées concrètes dans leur préparation de carrière ; 2) il les rapproche de leur société d'accueil en les mettant en contact avec des francophones ; et 3) il leur permet de mettre en pratique en contexte authentique les acquis de leur cours de compréhension orale.

En parallèle à leur participation au cours de counseling en contexte pluriethnique, les étudiants CAR sont en stage dans différents milieux, soit en intervention communautaire, en insertion socioprofessionnelle ou en milieu scolaire. À la fin de leur baccalauréat, ils seront appelés à faire du counseling dans ces milieux. Aussi est-ce pertinent pour eux de vivre une expérience qui les prépare de façon concrète à cette réalité prochaine.

Points forts, points faibles et appréciation

Les étudiants, de part et d'autre, apprécient l'authenticité de la rencontre et la chance de mettre leurs acquis en application. Le jumelage a été en général reçu positivement, même si certains étudiants FLS ont trouvé que l'ampleur de l'activité n'était pas bien reflétée par la pondération de l'évaluation (plus de la moitié de la note finale en carriérologie relevait du jumelage, contre 15 % seulement en FLS). Les étudiants ont apprécié l'occasion de réfléchir sur l'efficacité de leurs stratégies et surtout celle d'être exposés à une situation authentique.

Pour ce qui concerne la compréhension orale, l'exposition à la langue authentique fut l'avantage le plus noté. La majorité des étudiants ont dit avoir appris beaucoup sur le marché de l'emploi et sur les démarches concernant la reconnaissance de diplômes. Ils ont trouvé les rencontres productives. Pour les étudiants CAR, qui visionnent plusieurs entrevues lors des séances de supervision collective, l'exposition à une grande variété de cultures a été notée comme l'un des grands avantages du jumelage.

Notons qu'un décalage dans l'arrimage des objectifs a pu être déstabilisant pour certains, notamment pour une étudiante CAR qui a entendu d'entrée de jeu, à la première rencontre avec sa jumelle : « *Le développement de carrière ne m'intéresse pas, je suis seulement ici pour pratiquer mon français.* » Il est manifestement difficile de maintenir la motivation derrière l'exercice de counseling dans ces conditions. Ce décalage, s'il a causé quelques ratés, a également été à la source d'intéressants changements d'attitude. En effet, sur le marché du travail, l'exercice de counseling se fait sur le mode pourvoyeur de service/client ou encore aidant/aidé. Or, le fait que les apprenants FLS n'avaient pas le développement de carrière comme objectif principal introduisait une notion de réciprocité et de parité à la rencontre de counseling – « Je me prête à ton exercice universitaire de counseling et tu te prêtes à mon exercice universitaire de compréhension orale », – notion qui a permis certains changements d'attitude des participants, de part et d'autre, par rapport à leur schème de références sur la relation citoyen-immigrant.

Cela dit, les apprenants FLS ont profité à bien des égards du leadership des étudiants CAR. Ils ont surtout apprécié le fait que les étudiants CAR avaient le mandat d'être empathiques et « facilitants », car, pour plusieurs apprenants FLS de ce niveau, parler avec un francophone demeure un défi.

Comme les cours ne partagent pas la même plage horaire, les rencontres entre jumeaux ont lieu à l'extérieur des heures de cours, ce qui pose certains problèmes logistiques pour les étudiants accaparés par les stages, le travail, la famille. Le fait que les entrevues doivent être filmées en studio vient ajouter une contrainte supplémentaire. L'abandon du cours par certains des jumeaux est également venu complexifier la logistique. Vu le grand nombre de participants (120 étudiants au départ, répartis dans quatre groupes-cours) et la préparation « au vol » de l'opération (pour des raisons d'ordre administratif, les enseignantes n'ont pu préparer le jumelage qu'une fois les cours déjà entamés), les points faibles se sont surtout fait sentir sur le plan de la lourdeur logistique et technique.

Par ailleurs, comme les trajectoires d'apprentissage des compétences en counseling sont développementales, graduelles, dépendantes du contexte et uniques à chaque étudiant (Hatcher, Fouad, Grus, McCutcheon, Campbell et Leahy, 2013), et comme les étudiants FLS affichent des habiletés variables en expression orale, il aurait été souhaitable qu'une personne-ressource puisse intervenir au vol pour rajuster l'interaction en cas d'impasse de la rencontre. Malheureusement, le mode du jumelage ne permet l'accès à une personne-ressource qu'en différé. Pour exemplifier le propos, notons que dans certains cas, le niveau de français des apprenants FLS n'était pas suffisant pour l'exercice de counseling ; dans d'autres, le niveau d'habiletés en counseling était insuffisant pour répondre aux besoins hautement spécifiques de certains apprenants FLS. Ces cas auraient bénéficié d'une intervention pédagogique *in situ*.

Conclusion

Par le biais du jumelage, les étudiants CAR ont pu développer leurs aptitudes en communication interculturelle dans une pratique de counseling. Ils ont pu évaluer l'impact du processus migratoire et des mécanismes d'adaptation des immigrants à la société d'accueil, et reconnaître les obstacles internes et externes pouvant nuire au counseling individuel et au counseling de groupe. En parallèle, l'activité a permis aux étudiants FLS de transposer une tâche de compréhension orale à une situation de communication réelle, et de mettre à l'épreuve l'efficacité des stratégies acquises en classe.

L'activité a également répondu à deux autres objectifs : 1) acquérir du vocabulaire dans des domaines spécifiques et 2) s'approprier des éléments de la culture québécoise francophone. En effet, en participant à l'exercice de counseling, les apprenants FLS et CAR acquièrent un vocabulaire précis sur les différents domaines professionnels, et ce, par la nécessité d'identifier les cibles d'emploi, les formations pertinentes et les expériences professionnelles anté-rieures ou requises pour l'embauche. Le but de l'exercice est de définir et de valider les objectifs de travail de façon claire, spécifique et réaliste. Aussi la conversation exige-t-elle un vocabulaire particulier portant sur les compétences, les intérêts, les valeurs et les besoins des étudiants FLS. Des émotions s'en dégagent, qu'il faut nommer, ce qui incite les étudiants des deux cours à intégrer une terminologie des émotions.

En échangeant sur le monde du travail, les espoirs et les rêves, les intérêts et les projets, les étudiants dévoilent leur culture respective à travers les caractéristiques pragmatiques d'une rencontre de counseling où les attitudes de respect, d'écoute, d'ouverture et d'authenticité sont valorisées. En se familiarisant avec la culture de l'emploi et du monde professionnel au Québec, les étudiants FLS s'approprient des éléments clés de la culture québécoise francophone. Ils sont tout d'abord exposés au parler authentique des francophones d'ici et peuvent ainsi vérifier leurs capacités en compréhension orale de la variation linguistique. Ils ont de même l'occasion d'intégrer les caractéristiques pragmatiques de la communication en situation d'entrevue en contexte authentique et d'acquérir des connaissances utiles pour leur intégration professionnelle et culturelle.

Les apprenants FLS sont appelés à réfléchir sur leurs stratégies de compréhension et à prendre conscience des comportements qui favorisent la communication ou qui lui nuisent dans le contexte culturel québécois. Le mode de l'entrevue leur permet en outre de mieux jauger où ils en sont, personnellement, dans leur cheminement vers l'intégration professionnelle.

Le partage d'informations et d'expériences, d'impressions et de sentiments informe également les étudiants CAR sur leur propre culture et sur la manière dont celle-ci influence leur mode de pensée, leur mode de communication, leurs attitudes et leur comportement. L'exercice de counseling dans le cadre du jumelage les aide par-dessus tout à se positionner professionnellement en intervention interculturelle dans le domaine de la carriérologie (voir le chapitre 5 du présent ouvrage pour une présentation complète sur l'approche orientante).

Bibliographie

Cross, J. (2009). «Effects of listening strategy instruction on news videotext comprehension», *Language Teaching Research*, vol. 13, p. 151-176.

Dai, C. et L. Liu (2012). «The effectiveness of explicit instruction of certain decoding skills in improving Chinese EFL listeners' general comprehension performance», *Chinese Journal of Applied Linguistics*, vol. 35, p. 243-255.

Fay-Baulu, C. et M.-N. Legoux (1990). *Variations phonétiques et grammaticales en français parlé*, 3ᵉ éd., Montréal, Sodilis.

Field, J. (2003). «Promoting perception: Lexical segmentation in second language listening», *ELT Journal*, vol. 57, p. 325-334.

Field, J. (2008). *Listening in the Language Classroom*, Cambridge, Cambridge University Press.

Fouad, N.A., C.L. Grus, R.L. Hatcher, N.J. Kaslow, P.S. Hutchings, M.B. Madson et R.E. Crossman (2009). « Competency benchmarks : A model for understanding and measuring competence in professional psychology across training levels », *Training and Education in Professional Psychology*, vol. 3, n° 4, p. 5-26.

Fox, C. (2002). « Incorporating variation in the language classroom : A pedagogical norm for listening comprehension », dans S. Gass, K. Bardovi-Harlig, S. Sieloff-Magnan et J. Walz (dir.), *Pedagogical Norms for Second and Foreign Language Learning and Teaching*, Amsterdam, John Benjamins, p. 201-219.

Graham, S. et E. Macaro (2008). « Strategy instruction in listening for lower-intermediate learners of French », *Language Learning*, vol. 58, p. 747-783.

Hatcher, R.L., N. Fouad, C. Grus, S. McCutcheon, L. Campbell et K. Leahy (2013). « Competency benchmarks : Practical steps toward a culture of competence », *Training and Education in Professional Psychology*, vol. 7, p. 84-91.

Hinkel, E. (2006). « Current perspectives on teaching the four skills », *TESOL Quarterly*, vol. 40, p. 109-131.

Kaduvettoor, A., T. O'Shaughnessy, Y. Mori, C. Beverly III, R.D. Weatherford et N. Ladany (2009). « Helpful and hindering multicultural events in group supervision : Climate and multicultural competence », *The Counseling Psychologist*, vol. 37, n° 6, p. 786-820.

Kennedy, S. et J. Blanchet (2014). « Language awareness and perception of connected speech in a second language », *Language Awareness,* vol. 23, n°s 1-2, p. 91-105.

Poulin-Mignault, H. et G. Six (1990). *Le français au Québec*, 3e éd., Montréal, Sodilis, coll. « Français oral : compréhension et expression ».

Richer, J.-J. (2009). « Lectures du cadre : continuité ou rupture ? », dans M.-L. Lions-Olivieri et P. Liria (dir.), *L'approche actionnelle dans l'enseignement des langues. Onze articles pour mieux comprendre et faire le point*, Paris et Barcelone, Maison des langues et Difusión Français langue étrangère, p. 13-48.

Ridley, C.R., D. Mollen et S.M. Kelly (2011a). « Beyond microskills : Toward a model of counseling competence », *The Counseling Psychologist*, vol. 39, n° 6, p. 825-864.

Ridley, C.R., D. Mollen et S.M. Kelly (2011b). « Microskills training : Evolution, reexamination, and call for reform », *The Counseling Psychologist*, vol. 39, n° 6, p. 800-824.

Vandergrift, L. et C. Goh (2012). *Teaching and Learning Second Language Listening : Metacognition in Action*, New York, Routledge.

Vandergrift, L. et M.H. Tafaghodtari (2010). « Teaching students how to listen does make a difference : An empirical study », *Language Learning*, vol. 60, p. 470-497.

Verdugo, D.R. et I.A. Belmonte (2007). « Using digital stories to improve listening comprehension with Spanish young learners of English », *Language Learning and Technology*, vol. 11, n° 1, p. 87-101.

Chapitre 9.

JUMELAGE INTERCULTUREL ENTRE IMMIGRANTS ET FUTURS ENSEIGNANTS
MIEUX ÉCRIRE ET MIEUX COMMUNIQUER

Marie-Cécile GUILLOT
École de langues, Université du Québec à Montréal

Nicole CARIGNAN
Département d'éducation et formation spécialisées, Université du Québec à Montréal

LE JUMELAGE INTERCULTUREL OFFRE, AUTANT AUX FUTURS ENSEI-gnants québécois francophones qu'aux étudiants apprenant le français langue seconde, l'occasion de développer leur sensibilité, leur empathie et leurs habiletés de communication interculturelle. Dans le présent chapitre, il sera question de la mise en œuvre du projet de jumelage interculturel, de ses objectifs, du contexte des cours *Aspects socioculturels de l'éducation* (ASC) et *Rédaction II* (FLS), de leur cadre de référence théorique respectif, des caractéristiques et du rôle des participants ainsi que de l'appréciation des étudiants.

Description du jumelage interculturel

Le jumelage décrit ici est une activité de rencontre et d'échange entre des franco-phones futurs enseignants du Département d'éducation et formation spécialisées (DEFS) et des immigrants qui apprennent le français à l'École de langues. Pour les étudiants francophones, le jumelage permet de travailler avec des personnes d'autres cultures, de se préparer à enseigner à des enfants d'immigrants, mais aussi de parler de l'histoire, de la langue et de la culture du Québec. Pour les non-francophones, il permet de pratiquer le français, d'apprendre à connaître sa société d'accueil et de parler de sa langue, de sa culture, de son pays d'origine. En d'autres mots, lors du jumelage, la diversité ethnoculturelle n'est pas vue comme un problème, mais plutôt comme une richesse à partager (Zapata et Carignan, 2012).

Objectifs

Les deux objectifs sont les suivants : 1) sensibiliser les étudiants en éducation à la réalité d'une société pluriethnique et les préparer à mieux répondre aux attentes et aux besoins des écoliers de groupes ethniques différents et 2) permettre aux immigrants d'être en contact avec des locuteurs francophones pour mieux connaître leur société d'accueil.

Contexte des cours ASC et FLS

Les cours *Éducation et pluriethnicité au Québec* (ASC2047) et *Problématiques inter-culturelles à l'école québécoise* (ASC6003) s'adressent aux enseignants du primaire et du secondaire. Ces étudiants sont très majoritairement des natifs québécois francophones. Dans ce contexte, le jumelage est une activité obligatoire qui favorise l'ouverture à la diversité et développe la capacité d'intervenir en classe en s'appuyant sur les aspects cognitifs et affectifs des modes de communication.

Dans ces deux cours, les aspects cognitifs s'appuient sur l'acquisition de divers savoirs, tels que les faits saillants de l'héritage des Autochtones, des Français venus en Nouvelle-France et des Britanniques ; l'histoire de l'immigration canadienne et québécoise ; les relations intergroupes incluant les types et les causes de discrimination et d'intimidation ; le phénomène des gangs de rue et les défis de l'intégration des immigrants dans leur société d'accueil. La proposition de ces contenus s'appuie sur les études d'Aboud et Levy (2000) qui rappellent que les programmes de formation et d'intervention ne suffisent pas toujours à combattre l'ignorance pour atténuer les préjugés et la discrimination. De plus, la présentation d'informations factuelles sur l'histoire, les réalisations, les attitudes et les comportements des groupes en présence, telle que proposée dans ces cours ASC, est complétée par des activités qui s'inspirent des aspects affectifs du mode de communication.

Dans cette perspective, la projection de films et documentaires permet d'illustrer des concepts et des modèles à l'étude, mais aussi de sensibiliser les étudiants aux thématiques du cours. Voici quelques exemples : *Le peuple invisible* ou l'histoire des Algonquins, de Monderie et Desjardins (2008) ; *Le Rouge et le Noir au service du Blanc* ou l'esclavagisme en Nouvelle-France, de Lepage (2006) ; *Écrire pour exister*, qui dépeint l'impact des conflits intergroupes et des rivalités interethniques entre gangs de rue présents dans une école de Los Angeles, de LaGravenese (2007) ; *La tête de l'emploi* sur le racisme au travail produit par l'ONF (2010) ; et *La Leçon de discrimination*, documentaire réalisé par l'équipe d'*Enjeux* de la SRC en 2006 (Bourhis et Carignan, 2007a, b et c). Tant les contenus de savoir (articles regroupés dans un recueil de textes) que les activités pédagogiques (réflexion écrite, discussion, journal de bord et jumelage interculturel) proposés sont soutenus par les aspects cognitifs et émotifs du mode de communication.

Pour leur part, les étudiants non francophones du cours FLS de l'École de langues suivent une formation universitaire (certificat) composée de cours comportant les quatre habiletés (compréhension orale et écrite ; production orale et écrite), soit dans un même cours, soit dans des cours spécifiques. Arrivés au dernier niveau avant l'obtention de leur diplôme, les étudiants suivent un cours de production écrite où ils apprennent à structurer un texte argumentatif. Ce type de texte, qui sera souvent exigé d'eux quand ils poursuivront leurs études universitaires, leur permet de développer une pensée critique ; en parallèle, ils suivent un cours de grammaire où des points de grammaire complexes sont abordés (structure des phrases complexes et emploi du subjonctif, par exemple).

Ce cours de rédaction leur permet d'approfondir leurs connaissances de la culture et des débats de société du Québec à travers des activités de lecture et d'écriture. Parmi les lectures suggérées (dans un recueil de textes), on trouve des éditoriaux, des textes d'opinion publiés dans des journaux et des textes informatifs. En ce qui concerne la production écrite, ils doivent rédiger des textes argumentatifs ayant les caractéristiques linguistiques et rhétoriques appropriées et portant sur des thématiques culturelles et sociétales. En plus des éléments de la grammaire du texte qui sont travaillés (marqueurs de relation, organisateurs textuels, entre autres), le cours est axé sur les techniques d'écriture. Sont ainsi vues les notions suivantes : le processus de préparation, de recherche d'information, l'élaboration d'un plan structuré et la formation des éléments qui composent un texte argumentatif (introduction, paragraphes, conclusion). Les thèmes abordés en classe sont des sujets de débats de la société québécoise, lesquels peuvent parfois être controversés. L'objectif de ce cours est de rendre l'étudiant apte à rédiger des textes complexes en s'appuyant sur des références culturelles, de même qu'à utiliser des outils langagiers appropriés.

Cadre de référence théorique des cours ASC et FLS

Le cadre théorique des cours ASC suggère la compréhension et l'articulation de plusieurs concepts. Entre autres, l'endogroupe et l'exogroupe désignent respectivement le sentiment d'appartenance à son propre groupe et celui de ne pas appartenir à un autre groupe que le sien (Bourhis et Gagnon, 2006). Les rapports entre l'endogroupe et les exogroupes sont souvent teintés par les préjugés, c'est-à-dire la tendance à adopter une attitude négative envers les membres d'un exogroupe. Phénomène qui n'est pas nouveau, le préjugé renvoie à l'idée de juger avant même de connaître. Dans un exemple tristement célèbre, fuyant l'Allemagne nazie, Einstein évoquait déjà en 1933 qu'il était plus difficile de désagréger un préjugé qu'un atome. Le préjugé repose aussi sur une généralisation erronée qui fait fi des différences individuelles (Allport, 1954).

Intrinsèquement liée au préjugé, la discrimination est un comportement négatif dirigé contre les membres d'un exogroupe envers lequel nous entretenons des préjugés. D'un côté, la discrimination est un comportement négatif injustifié envers un exogroupe, tandis que de l'autre la stigmatisation est un comportement négatif injustifié envers une personne dévalorisée en raison du poids, de la taille, d'un physique ingrat ou d'une déficience (Bourhis et Gagnon, 2006).

Le cadre théorique des cours ASC s'appuie aussi sur les approches du contact intergroupe visant à réduire les préjugés et la discrimination. Selon Pettigrew et Tropp (2006) ainsi que Paluck et Green (2009), trois principes «gagnants» de l'hypothèse du contact d'Allport (1954) doivent guider l'interaction entre deux groupes. Dans le cas présent, les étudiants qui suivent les cours ASC sont jumelés à des immigrants FLS.

En accord avec le premier principe, les étudiants du cours FLS ont un statut équivalent à celui des étudiants d'un cours ASC en enseignement.

En lien avec le deuxième principe, le but commun aux étudiants jumelés est de communiquer en français au sujet du parcours migratoire de l'immigrant et de discuter de différents aspects des cultures d'origine et d'accueil. Les étudiants ASC aident les immigrants à apprendre certaines expressions locales du français québécois tout en s'inspirant de la rencontre pour rédiger le travail de réflexion obligatoire rapportant et analysant les échanges du jumelage interculturel.

Enfin, selon Allport (1954), la volonté individuelle ne suffit pas pour assurer la pleine réussite du contact entre les groupes. Son troisième principe préconise donc le soutien institutionnel des activités de jumelage interculturel. Les jumeaux sont ainsi encouragés à participer à ce jumelage interculturel et doivent répondre autant aux exigences du DEFS pour les enseignants francophones qu'à celles de l'École de langues pour les non-francophones. Afin d'approfondir ces concepts, veuillez vous reporter au premier chapitre du présent livre.

Par ailleurs, le cours FLS tend à utiliser l'approche actionnelle, qui valorise la réalisation de tâches, c'est-à-dire que «l'action doit être motivée par un objectif communicatif clair et donner lieu à un résultat tangible, identifiable» (Rosen, 2008, p. 23). Pour réussir à accomplir diverses tâches, l'apprenant doit mobiliser l'ensemble de ses compétences et de ses ressources (stratégiques, cognitives, verbales et non verbales) afin d'atteindre son objectif : la réussite de la communication langagière. Ce cours de rédaction FLS vise à développer les compétences à communiquer langagièrement. Ainsi sont développées les trois composantes suivantes : 1) la composante linguistique, comprenant le savoir-faire et les savoirs relatifs au lexique, à la syntaxe, à la grammaire et à l'orthographe ; 2) la composante sociolinguistique, comportant les connaissances et les habiletés pour faire fonctionner la langue dans un contexte de normes sociales (maîtriser les paramètres socioculturels de l'utilisation d'une langue) ; enfin, 3) la composante pragmatique, c'est-à-dire l'utilisation fonctionnelle des ressources de la langue (réalisation d'actes de parole), la maîtrise, la cohésion et la cohérence du discours ainsi que le repérage des genres et types textuels.

Ce cours FLS intègre également les compétences de communication interculturelle, car, en plus de faire l'apprentissage d'une langue, l'étudiant est sensibilisé aux expériences interculturelles et aux manifestations du stéréotype et du préjugé de façon à pouvoir affronter des situations sur le plan tant linguistique que culturel. Rappelons que viser la compétence interculturelle ne se réduit pas à enseigner des données factuelles et chiffrées, à expliquer la façon dont se comportent les gens dans telle ou telle situation ou à donner des caractéristiques générales sur les habitudes. Sont également ciblés le développement personnel de l'individu, l'acquisition de certaines attitudes vis-à-vis de la différence et l'acquisition de connaissances procédurales (Beacco, 2011).

Caractéristiques des jumeaux

Avant d'aller plus loin, précisons les caractéristiques des participants que nous appelons les jumeaux. Les étudiants des cours ASC, qui ont entre 21 et 40 ans, sont admis dans différents programmes d'enseignement, au primaire et au secondaire, dans les différentes disciplines au programme de formation générale (français, anglais, sciences humaines, mathématiques, science, activités physiques et disciplines artistiques). Certains des étudiants poursuivent leur formation initiale, tandis que d'autres ont déjà un emploi dans une discipline en pénurie et visent une qualification légale. Par ailleurs, ces cours ASC sont obligatoires et nécessaires à l'obtention du brevet d'enseignement.

Les étudiants des cours FLS, qui ont entre 30 et 45 ans, ont pour la plupart déjà fondé une famille et ont donc des enfants qui fréquentent l'école et qui, dans le contexte de la loi 101 au Québec, doivent apprendre et parler le français. Les pays d'origine sont très variés ; ces personnes viennent de l'Asie de l'Est (essentiellement de la Chine), des pays d'Europe de l'Est, d'Amérique latine et du Moyen-Orient. Plusieurs de ces étudiants ont suivi une formation universitaire dans leur pays d'origine et possèdent de l'expérience professionnelle. Ils ont également acquis un certain niveau de français, soit dans leur pays, soit par les cours de francisation du ministère de l'Immigration, de la Diversité et de l'Inclusion (MIDI).

À leur arrivée au Québec, ils doivent entreprendre des démarches pour faire reconnaître leurs diplômes et leurs expertises professionnelles. C'est alors qu'on leur demande souvent de reprendre une partie ou la totalité de leurs études s'ils veulent exercer leur profession au Québec. De plus, ils doivent passer les examens des ordres professionnels, lesquels sont en français. Enfin, ils constatent que la connaissance du français est une exigence pour leur recherche d'emploi.

Rôle des enseignantes

Pour être réussi, le jumelage doit reposer sur trois étapes interdépendantes : la préparation, la réalisation et la rétroaction. Lors de rencontres de planification du jumelage, les deux enseignantes se sont entendues sur les objectifs à atteindre et sur l'activité à proposer. Elles ont aussi inséré les objectifs, modalités et critères d'évaluation de l'activité de jumelage dans chacun des plans de cours ASC et FLS afin que les étudiants comprennent l'importance de cette activité dans leur formation. Autrement dit, l'activité de rédaction du cours *Rédaction II* qui sera réalisée par les étudiants FLS est inscrite dans le plan de cours des étudiants en enseignement ASC, tandis que l'activité «Journal de réflexion», que réaliseront les étudiants ASC, est mentionnée dans le plan de cours des étudiants FLS. L'activité de jumelage occupe une place centrale autant dans le cours ASC que dans le cours FLS.

Par ailleurs, les enseignantes n'ont pas qu'un rôle de planification, d'organisation et de coordination. Une grande attention est apportée à toutes les étapes de la mise en œuvre du jumelage. Afin de faciliter le premier contact, les deux enseignantes ont misé sur une approche ludique. Pour donner le ton et motiver les étudiants à réussir cette activité, elles ont attribué un numéro à chaque étudiant. Afin de pouvoir les répartir dans des équipes de deux personnes, elles ont transcrit le nom assorti d'un numéro sur un feuillet autocollant (Post-it) qui sera distribué à chacun des étudiants lors de la préparation précédant la rencontre de prise de contact.

Ainsi, lors de la première rencontre, les jumeaux avec leur Post-it partent à la recherche de leurs pairs. Trouver une façon souple et méthodique tout en restant créatif et ludique permet d'assurer un climat de convivialité dès les premiers instants et de faciliter un suivi efficace.

Présentation de l'activité de jumelage aux étudiants des cours ASC et FLS

En lien avec ce qui précède, l'activité de jumelage repose sur trois mots clés : la réciprocité, la coopération et l'égalité. Dans un premier temps, la réciprocité s'installe lorsque l'enseignante ASC rencontre les étudiants FLS pour présenter ses étudiants qui participent au jumelage et que l'enseignante FLS rencontre à son tour les étudiants ASC. Chacune décrit le profil général de ses étudiants, l'objectif principal du cours, la place du cours dans leur cheminement universitaire ainsi que le déroulement du jumelage.

Durant cette rencontre, la coopération se manifeste lorsque toutes les consignes sont communiquées aux étudiants ASC et FLS : notamment, se présenter mutuellement et échanger les formules de politesse ; être attentifs aux questions posées et aux commentaires ; bien saisir que comprendre n'est pas seulement une question de vocabulaire, mais une question de découpage en unités de sens différentes d'une langue à l'autre ; garder à l'esprit que communiquer inclut le verbal et le non-verbal ; observer non seulement les différences, mais aussi les ressemblances avec la personne rencontrée ; apporter des documents et des objets pour animer les échanges (carte du monde, objet favori, photos de famille, mets pour comparaison gastronomique, chansons préférées, auteur/artiste préféré, BD, roman, cahiers de poésie) ; également, apporter un calepin de notes pour écrire ou pour dessiner (Carignan, 2006). Enfin, pour chaque étape, les deux enseignantes travaillent sur un pied d'égalité.

De plus, les enseignantes expliquent que ces trois mots clés ne sont pas valables que pour les enseignantes, ils le sont aussi pour les jumeaux dans chacune des rencontres. Quatre rencontres sont à prévoir entre le troisième et le douzième cours du trimestre, que ce soit en session régulière sur quinze semaines ou intensive sur sept semaines et demie à raison de deux cours par semaine. L'expérience a montré que le succès du jumelage repose sur la préparation et sur l'arrimage rigoureux entre les cours ASC et FLS.

Premier contact entre les jumeaux

L'expérience révèle que le premier contact entre les jumeaux et les jumelles est déterminant pour la réussite du jumelage interculturel. Bien que certains étudiants ressentent un peu d'inconfort à l'idée de rencontrer une personne qu'ils disent « étrangère », ils éprouvent de la fébrilité et de l'enthousiasme à l'idée de faire connaissance avec leur jumelle ou leur jumeau lors du premier contact. Ils se font vite prendre au jeu et réalisent le plaisir de la communication interculturelle.

Si les deux cours se donnent à la même plage horaire, le premier contact se fait lors de la dernière demi-heure du troisième ou du quatrième cours. Le jour de cette rencontre de prise de contact, les étudiants se présentent avec leur autocollant respectif. À titre d'exemple, les étudiants FLS munis d'un autocollant bleu viennent retrouver, dans leur salle de classe, les étudiants ASC munis d'un autocollant jaune. Aussitôt arrivés, les jumeaux recherchent celui qui porte le même numéro. Une fois les jumeaux réunis, ils doivent échanger leurs coordonnées et consulter leur agenda afin de planifier leurs quatre rencontres bien réparties sur les semaines du trimestre. Cependant, si le cours n'est pas à la même plage horaire, la première rencontre peut se faire en dehors des heures de classe.

Une fois la prise de contact réalisée, les rencontres doivent se tenir en dehors des heures de cours, soit avant ou après les cours, le soir, le midi ou encore la fin de semaine. Le lieu de rencontre est choisi par les jumeaux et les jumelles selon leur convenance : à l'UQAM, à la cafétéria, dans un café, dans leur quartier, à la bibliothèque, au musée ou ailleurs.

Réalisation des quatre rencontres et travail de fin de trimestre

Un calendrier des activités de jumelage est suggéré dans le plan de cours respectif des étudiants ASC et FLS. Les quatre rencontres de jumelage doivent durer de 60 à 90 minutes chacune. Il arrive cependant que les étudiants prolongent leur rencontre, la faisant durer deux, voire trois heures. Il est également suggéré que les rencontres se fassent sur une base régulière, c'est-à-dire que les étudiants alternent entre une semaine pour la rencontre et la suivante pour la rédaction du compte rendu.

Les étudiants du cours ASC doivent décrire, en 600 mots, une des thématiques discutées lors de leur rencontre. Il peut s'agir du parcours migratoire de son jumeau, de son adaptation ou intégration à sa société d'accueil, de la reconnaissance de ses diplômes et des expériences acquises à l'étranger, de la discrimination, de la langue, de la religion, de l'éducation, entre autres.

Après avoir fourni les quatre descriptions qui rendent compte de leurs quatre rencontres, les étudiants du cours ASC rédigent une analyse pour chacune des rencontres en faisant référence aux auteurs vus dans le cours. Toutes les consignes de rédaction et d'analyse (forme, fond et critères pour l'évaluation) sont clairement définies dans leur plan de cours. Pour les étudiants du cours ASC, ce journal de réflexion de l'activité de jumelage interculturel représente 35 % de la note finale et doit être remis au dernier cours du trimestre.

Les travaux des étudiants ASC sont très intéressants à lire. Les étudiants s'investissent vraiment dans le jumelage, tant dans la réalisation de la rencontre que dans la rétroaction réflexive écrite. Ils ont aussi réalisé que le vivre-ensemble s'apprend parce que, peu importe qu'ils soient natifs ou immigrants, francophones ou non francophones, ils ont tous quelque chose à offrir et à recevoir. Enfin, pour les étudiants ASC, le jumelage interculturel facilite l'acquisition de connaissances théoriques et pratiques sur le respect des différences et l'acceptation de la diversité ethnoculturelle. Le tableau qui suit présente les trois étapes de la mise en œuvre du jumelage interculturel.

1. Avant le début des cours	Rencontres des enseignantes en vue d'une : – Planification de l'activité – Planification de la rencontre de prise de contact
2. Au début des cours	– Présentation de l'activité par l'enseignante du cours – Présentation de l'activité par l'enseignante de l'autre cours
3. À la prise de contact (1re rencontre)	Rencontre des étudiants dans une même salle – Échange des coordonnées (téléphone et courriel) – Planification des quatre rencontres d'équipe

Par la suite ont lieu quatre rencontres, à l'extérieur des cours, organisées et planifiées par les étudiants.

Pour les étudiants du cours FLS, le travail consiste, plus particulièrement, à réaliser des tâches avant chaque rencontre et à produire une synthèse de ces rencontres qu'ils doivent remettre à l'enseignante à la fin du trimestre. Comme le cours FLS porte sur la rédaction de textes argumentatifs, les étudiants sont amenés d'abord à lire et à comprendre un texte argumentatif, puis à en produire eux-mêmes.

Ainsi, pour la première rencontre de jumelage, les étudiants lisent un texte portant sur les relations parents-enfants, dans lequel il est question de conflits possibles entre les deux générations au moment où les enfants adoptent les valeurs du pays d'accueil. Les étudiants sont amenés à répondre à des questions sur l'attitude à adopter face à leurs enfants nés (ou arrivés très jeunes) dans le pays d'accueil.

Pour la seconde rencontre, les étudiants FLS doivent produire le plan et l'introduction d'un texte argumentatif sur un thème proposé par l'enseignante. Ce plan, qui est envoyé par courriel, doit être lu et corrigé tant sur le plan de la langue que sur celui de la structure par leur jumeau ou leur jumelle ASC. Lors de la rencontre, les jumeaux discutent de ce plan et corrigent ensemble les erreurs.

Pour les troisième et quatrième rencontres, les étudiants FLS doivent produire une conclusion, puis un texte complet sur des sujets d'actualité donnés par leur enseignante, tels que l'éducation, la peine de mort, l'homosexualité et l'environnement. Chaque fois, le travail est envoyé au jumeau francophone avant la rencontre. À la suite des quatre rencontres, les étudiants FLS doivent produire une synthèse qui comporte les éléments suivants : la présentation du jumeau ASC, la description des quatre rencontres incluant la date, le lieu, la durée et les sujets abordés.

La lecture de ces textes nous apprend que, lors de ces rencontres, les jumeaux ASC et FLS vont bien au-delà du travail demandé. Ils discutent de tout thème susceptible de les intéresser : éducation, politique, famille, santé. Comme les étudiants FLS ont des enfants qui fréquentent l'école et que le système scolaire est différent de celui de leur pays d'origine, ils posent souvent des questions sur le système scolaire québécois, sur le bulletin ou encore sur la discipline à l'école.

Seul le travail de synthèse est évalué par l'enseignante de FLS (évaluation sommative). Les travaux rédigés dans le cadre du jumelage sont annexés à la synthèse, mais ils ne sont pas évalués, de façon que l'étudiant non francophone rédige plus «spontanément» et sans la pression de la note (évaluation formative). Dans les synthèses, les étudiants font souvent part de leur appréciation du jumelage.

Pertinence et appréciation des étudiants

Les jumelages interculturels offrent, tant aux Québécois francophones ASC qu'aux immigrants FLS, l'occasion de développer leur sensibilité, leur empathie et leurs habiletés de communication interculturelle.

> Ce jumelage a été sans aucun doute une belle occasion de développer mon habileté interculturelle. Il a été une manière efficace d'avoir de réels échanges avec un immigrant et de mieux comprendre sa réalité. Il m'a permis aussi de mieux me connaître et mieux me définir à travers ma culture (Caroline).

Les étudiants FLS soulignent trop souvent qu'ils ont peu de contacts avec les francophones. Ils mentionnent qu'ils sont souvent isolés. Par le jumelage, ils voient l'occasion de rencontrer des francophones et de discuter de sujets propres à la culture de l'immigrant et à celle d'accueil. Bien sûr, l'anonymat des répondants est préservé.

> Ce travail m'a permis d'avoir des connaissances du monde québécois et m'a donné une chance d'avoir une amie francophone. Je dois ajouter que la peur que j'avais avant est partie après ces quatre rencontres. Autrement dit, ce travail a éliminé la distance afin de communiquer avec d'autres cultures (Samira).

Les jumelages interculturels démontrent que sur le terrain, l'adaptation réussie des immigrants peut dépendre autant des efforts des étudiants de la majorité d'accueil que des efforts d'adaptation déployés par les étudiants immigrants (Caza, 2014). «Le jumelage m'a permis de saisir que la diversité culturelle que nous côtoyons tous les jours à Montréal est empreinte d'une énorme richesse qui vaut la peine d'être découverte» (Pierre).

Le témoignage suivant démontre que les étudiants FLS sont conscients que le jumelage est un moyen de rencontrer des gens de la société d'accueil ; ce ne sont pas que des jumelages ou des rencontres linguistiques, il s'agit bien de jumelages interculturels. «*Je suis contente d'avoir eu l'occasion de rencontrer un étudiant francophone. Au-delà des corrections grammaticales, rencontrer* [ma jumelle] *m'a aidée à comprendre un peu plus les Québécois, leurs habitudes, leurs peurs et leurs frustrations*» (Xu).

Les jumelages interculturels offrent un cadre de rencontre interculturelle plus égalitaire qui inspire les membres de la majorité d'accueil à considérer leur part de responsabilité dans l'intégration des immigrants. Cet effort d'accueil largement apprécié par ces derniers peut très certainement contribuer à la cohésion sociale d'un Québec qui se doit de demeurer ouvert aux bienfaits de la diversité culturelle, religieuse et linguistique. «*J'ai rencontré une personne extraordinaire avec laquelle j'ai passé plusieurs bons moments ; une personne avec laquelle je vais rester en contact. Cette expérience de vie a complètement changé la vision que j'avais des immigrants du Québec*» (Michel).

Bien que les jumelages soient une activité obligatoire, ils ne sont pas vus comme une corvée par les étudiants ; certains sont tellement motivés qu'ils souhaitent que le nombre de rencontres soit augmenté. «*Les adieux ont été longs. Même si nous étions très occupées, nous avons apprécié toutes ces rencontres du samedi après-midi. Nous espérons qu'après la tempête scolaire, nous arriverons à nous revoir*» (Olga).

Activité vedette dans les cours ASC et FLS, le jumelage interculturel permet, tant aux membres de la société d'accueil qu'aux immigrants, de reconnaître non seulement leurs différences, mais aussi leurs ressemblances. Le jumelage, qui est certes une activité obligatoire, va bien au-delà des exigences de ces cours. En effet, un petit sondage mené durant le trimestre d'hiver 2013 effectué auprès d'étudiants FLS ayant vécu l'expérience de jumelage ($n = 89$) montre que 76 % des répondants ont discuté d'autres sujets que ceux suggérés par les enseignantes. Les sujets abordés concernaient la famille, la vie professionnelle, la culture québécoise, le système d'éducation. Ce même sondage révélait que l'aspect à améliorer était qu'il y ait davantage de rencontres.

Conclusion

Cette activité, qui s'inscrit parfaitement dans l'approche interculturelle (voir le chapitre 1 du présent ouvrage) et actionnelle (voir le chapitre 3), répond aux objectifs du cours de FLS. En effet, le jumelage permet aux étudiants FLS d'être en contact avec des francophones et ainsi d'être exposés à différents accents et niveaux de langue. Cette activité permet également aux étudiants FLS de vivre des situations de rencontre authentiques. C'est aussi pour cette raison que leur compétence en langue tend à s'améliorer, car leurs erreurs, tant lexicales que grammaticales et tant à l'oral qu'à l'écrit, sont corrigées dans un contexte non formel.

Ces contacts privilégiés avec des natifs francophones leur permettent d'améliorer leur connaissance de leur société d'accueil, d'utiliser des stratégies variées de communication et de gérer, dans un contexte réel, des situations de malentendus et de conflits. Par exemple, ils doivent apprendre à faire appel à des stratégies de négociation lorsque le jumeau francophone monopolise l'interaction orale.

Cette activité, qui répond aux objectifs du cours ASC, s'inscrit aussi dans l'approche de communication interculturelle (voir le chapitre 2 du présent ouvrage) et répond aux objectifs du cours ASC. Ainsi, le jumelage offre aux étudiants ASC l'occasion d'être en contact avec des non-francophones issus de différentes cultures et de vivre des situations de rencontre authentiques durant lesquelles leur compétence de communication interculturelle semble progresser. Il a pour objet de sensibiliser les étudiants des cours ASC à se préparer à mieux répondre aux attentes et aux besoins des écoliers de groupes ethniques diffé-rents. Ces contacts privilégiés avec des non-francophones favoriseraient le développement d'une meilleure connaissance de la richesse de la diversité des immigrants accueillis par leur société.

Le jumelage interculturel, qui constitue un contact effectif dans une réelle interaction, implique des adaptations comportementales, des réactions verbales et affectives. Enfin, au lieu de discourir sur l'autre ou par rapport à l'autre, les jumeaux apprennent à échanger entre eux, à se respecter, à s'appré-cier et à apprendre à vivre ensemble. Il n'incombe pas qu'aux immigrants de s'adapter et de s'intégrer ; cette responsabilité est à partager avec les membres de la société d'accueil.

Bibliographie

Aboud, F.E. et S.R. Levy (2000). «Interventions to reduce prejudice in children and adoles-cents», dans S. Oskamp (dir.), *Reducing Prejudice and Discrimination*, Mahwah, Erlbaum, p. 269-293.

Allport, G. (1954). *The Nature of the Prejudice*, Cambridge, Addison-Wesley.

Beacco, J.-C. (2011). «Les dimensions culturelles et interculturelles des enseignements de langues : état des pratiques et perspectives», Texte présenté lors du séminaire «Convergences curriculaires pour une éducation plurilingue et interculturelle», Strasbourg, 29-30 novembre 2011.

Bourhis, R. et N. Carignan (2007a). «Quelques conseils autour de "La leçon de discrimina-tion"», émission *Enjeux*, Montréal, Société Radio-Canada, p. 3-6.

Bourhis, R. et N. Carignan (2007b). «Thèmes de discussion pour "La leçon de discrimina-tion"», émission *Enjeux*, Montréal, Société Radio-Canada, p. 7-28.

Bourhis, R. et N. Carignan (2007c). «Glossaire relié à l'explication du préjugé et de la discri-mination», émission *Enjeux*, Montréal, Société Radio-Canada, p. 29-38.

Bourhis, R.Y. et A. Gagnon (2006). «Les préjugés, la discrimination et les relations inter-groupes», dans R.J. Vallerand (dir.), *Les fondements de la psychologie sociale*, 2e éd., Montréal, Gaëtan Morin/Chenelière Éducation, p. 532-598.

Carignan, N. (2006).). «Est-ce possible d'apprendre à vivre ensemble? Un projet stimulant pour les futurs enseignants et les nouveaux arrivants», Actes du colloque «Quelle immigration, pour quel Québec?», dans le cadre du 25e anniversaire de la Table de concertation des réfugiés et immigrants (TCRI), 23-24 mars 2005, Montréal, p. 65-72.

Caza, P.E. (2014). «Dix mille jumeaux. Les jumelages interculturels se sont multipliés depuis 12 ans, touchant quelque 10 000 étudiants», *Actualités UQAM*, 10 mars, p. 1-3.

Paluck, E.L. et D. Green (2009). «Prejudice reduction: What works? A review and assessment of research practice», *Annual Review of Psychology*, vol. 60, p. 339-367.

Pettigrew, T. et L. Tropp (2011). *When Groups Meet: The Dynamics of Intergroup Contact*, New York, Psychology Press.

Rosen, E. (2008). *Le point sur le Cadre européen commun de référence pour les langues*, Paris, CLE International.

Zapata, M.E. et N. Carignan (2012). «Les jumelages linguistiques: une expérience d'interculturalité à Montréal. Multiculturalisme, interculturalisme et la compréhension interculturelle entre les communautés et les intervenants», *Canadian Diversity/Diversité canadienne*, vol. 9, n° 2, printemps 2012.

Chapitre 10.

JUMELAGE EN LIGNE
UNE EXPÉRIENCE DE COMMUNICATION INTERCULTURELLE

Valérie AMIREAULT
Département de didactique des langues, Université du Québec à Montréal

Myra DERAÎCHE
École de langues, Université du Québec à Montréal

CE CHAPITRE PRÉSENTE UN JUMELAGE EN LIGNE AUQUEL PARTICIPENT des étudiants de français langue seconde (FLS) et des étudiants à la maîtrise en didactique des langues. Les premiers sont inscrits à un cours de lecture (niveau avancé), tandis que les deuxièmes suivent un séminaire de maîtrise intitulé Didactique et fondements de l'interculturel en langue seconde et étrangère. Il s'agit donc de mettre en contact des enseignants de FLS en formation avec des apprenants de FLS. Ce jumelage présente deux particularités. D'abord, les échanges sont conçus pour explorer la communication interculturelle et favoriser le développement de la compétence de communication interculturelle chez les participants (voir à ce sujet le chapitre 2 du présent ouvrage, qui aborde plus spécifiquement le développement de la compétence de communication interculturelle). Également, il s'agit d'un jumelage élaboré à partir d'échanges de courriels, donc mettant à profit les technologies de l'information.

Ainsi, afin de s'inscrire de façon pertinente dans la démarche péda-gogique de chacun des cours, l'idée du jumelage concerne la communication interculturelle, ou la communication entre des personnes ne partageant pas les mêmes espaces culturels ou linguistiques. Plus spécifiquement, le jumelage cible, comme point de départ des échanges, les salutations et les présentations (de soi et des autres) dans un contexte de communication interculturelle. Par ailleurs, une formule de communication écrite asynchrone (par courriels) est privilégiée, permettant ainsi aux étudiants des deux groupes de participer au jumelage dans la mesure de leur disponibilité (O'Dowd, 2007a).

Objectifs généraux

Pour la classe de FLS, le jumelage renvoie à l'objectif général du cours, à savoir le développement de la lecture chez des apprenants de FLS de niveau avancé. En analysant une bande dessinée québécoise et en lisant les courriels de leur jumeau, les apprenants de FLS sont amenés à comprendre des textes authen-tiques dans la langue cible. La bande dessinée choisie est *Paul a un travail d'été*, de Michel Rabagliati (2002). L'extrait (p. 32-33) présenté aux étudiants met en scène de jeunes adultes québécois dans les années 1970. Parmi ces personnages, il y a Paul, le célèbre personnage de Rabagliati, qui fait la connaissance de ses collègues au moment où il commence un nouvel emploi. Paul et les collègues se saluent et se présentent de différentes façons dans cet extrait. Par ailleurs, en ce qui concerne les objectifs du jumelage, il est important de mentionner que celui-ci vise le développement en équipe pluriculturelle de la compétence ciblée. Les apprenants de FLS doivent collaborer avec des coéquipiers d'autres cultures et découvrir leurs cultures respectives.

Du côté du séminaire de maîtrise, les objectifs de ce projet s'inscrivent entièrement dans la visée globale du cours, qui consiste à préparer les étudiants à travailler avec la didactique de l'interculturel en enseignement des langues secondes et étrangères. À cette fin, ces étudiants doivent consigner leurs réflexions interculturelles dans un rapport final. Quant aux objectifs communs aux deux groupes, ils consistent à explorer des composantes de la communication (les salutations et les présentations) dans différents espaces culturels, à décomposer les paramètres de la communication ainsi qu'à réfléchir aux variations culturelles dans différents espaces culturels (inspiré de Amireault et Bhanji-Pitman, 2012).

Rappel des assises théoriques

L'émergence de l'approche communicative en enseignement/apprentissage des langues a mis en exergue les liens entre la langue et la culture. Au-delà du code linguistique, la langue exprime et symbolise une réalité culturelle et constitue une voie d'entrée vers une autre culture (Byram, 1992 ; Kramsch, 1998 ; Lussier, 2004). Comme l'indique Neuner (2003, p. 55), « cela implique qu'il ne suffit pas d'enseigner aux apprenants l'usage correct de la nouvelle langue dans les situations de la vie courante [...], mais il s'agit également de leur faire acquérir des stratégies de communication [...] permettant de comparer, d'inférer, d'interpréter, de discuter». C'est dans cette perspective que le jumelage met l'accent sur les liens entre la langue et la culture, tant pour les apprenants de FLS que pour les (futurs) enseignants de langue. Le jumelage constitue effectivement une occasion pour les participants de se sensibiliser à la nécessité de favoriser les liens entre la langue et la culture ainsi que de développer une plus grande conscience interculturelle (Furcsa, 2009).

Le jumelage présenté dans le cadre de ce chapitre fait état d'un mode d'échange virtuel, donc des liens entre la langue et la culture vécus par le biais de la communication médiée par ordinateur. Selon Yun et Demaizière (2008, p. 256), ce type de communication permet «non seulement de créer des échanges linguistiques et culturels à distance, mais aussi d'améliorer la compétence de communication lors d'interactions entre apprenants ou entre apprenants et locuteurs natifs». Les rencontres interculturelles par ordinateur sont légitimes et utilisées en enseignement/apprentissage des langues (Dervin et Vlad, 2010 ; Lamy et Hampel, 2007).

Ainsi que l'indique O'Dowd (2003, p. 121 ; traduction libre),

les échanges par courrier électronique et les projets d'interaction virtuelle entre groupes d'apprenants de langue ont reçu beaucoup d'attention dans la littérature liée à la communication assistée par ordinateur [...] et beaucoup a été fait concernant leur potentiel pour développer la compétence interculturelle et provoquer un changement de perspective chez les apprenants[1].

Selon O'Dowd (2007a), les enseignants en langue seconde et étrangère doivent tenir compte de l'utilisation technologique de leurs apprenants et intégrer des pratiques de littératie électronique à leur enseignement. Par exemple, les apprenants de FLS qui participent à ce jumelage, pour la plupart des immigrants en processus d'intégration à la société québécoise, sont amenés, dans leur vie courante, à faire usage de la technologie, et notamment des courriels, pour lire et écrire des informations diverses en français. Dans le cadre du jumelage, ces apprenants ont l'occasion d'utiliser un outil connu, et son intégration dans la classe de FLS permet de favoriser l'échange par le recours à un instrument authentique (Lamy et Hampel, 2007).

Par ailleurs, Müller-Hartmann (2007) et O'Dowd (2003) estiment que pour être «interculturellement» efficaces ces échanges de courriels doivent permettre aux apprenants de réfléchir sur leur propre culture et sur la culture de l'Autre. De cette façon, les courriels contribuent non seulement au dialogue et à la collaboration entre les interlocuteurs, mais peuvent également susciter les

---

1.   La citation originale est la suivante: *E-mail based exchanges and projects between groups of language learners have received much attention in the literature of computer mediated-communication [...] and much has been made of their potential for developing intercultural competence and bringing about a change in students' perspectives.*

débats et les discussions (Furcsa, 2009). De tels échanges entre des personnes issues de cultures différentes peuvent aussi favoriser la sensibilisation à l'Autre, à ses ressemblances et à ses différences, le développement de la tolérance ainsi qu'une meilleure conscientisation interculturelle (Furcsa, 2009 ; Müller-Hartmann, 2000 ; O'Dowd, 2007b). D'autres avantages des échanges par courriels en enseignement des langues incluent le développement de l'autonomie des apprenants, le temps de réflexion accru en mode asynchrone et l'émergence d'occasions de collaboration lorsque les courriels sont rédigés en équipe (Lamy et Hampel, 2007).

En outre, plusieurs études s'attardent à définir le rôle des enseignants dans le cadre d'échanges interculturels, et plus particulièrement d'échanges par courriels. Pour Mangenot et Tanaka (2008), ce sont des coordonnateurs qui, entre autres, veillent à la recherche d'une participation régulière et à la présentation réciproque d'éléments culturels concrets. Comme facilitateur des échanges en ligne, l'enseignant se retrouve aussi à jouer plusieurs rôles : un rôle pédagogique, un rôle social, celui de gestionnaire et celui de technicien (Berge, 1995 ; Legutke, Müller-Hartmann et Shocker-von Ditfurth, 2006 ; Müller-Hartmann, 2007). Comme Müller-Hartmann (2007) le souligne, le rôle le plus décisif est celui qui est lié à la pédagogie, puisqu'il s'agit alors de définir des tâches appropriées dans une séquence cohérente, d'amorcer et de suivre les apprentissages interculturels. Plus encore, il s'agit de responsabiliser les participants et de leur demander d'user de leur jugement critique dans un contexte d'échanges interculturels.

Déroulement du jumelage

Préparation au jumelage

Pour préparer les participants des deux groupes au jumelage, les enseignants présentent le jumelage à leurs groupes respectifs. Cette préparation consiste en la présentation d'un document mentionnant les objectifs pour les deux groupes d'étudiants, les dates importantes associées à ce projet, les tâches à réaliser et les modalités d'évaluation. Par exemple, pour les étudiants de maîtrise, le modèle du document à remettre à la fin du jumelage, qui comprend les questions de réflexion et d'analyse interculturelles, est distribué à ce moment. De cette façon, les étudiants savent exactement ce qu'ils doivent accomplir dans le cadre de cette activité et ce qu'ils doivent remettre au terme du jumelage. Des discussions ont lieu en classe et les interrogations des étudiants peuvent être verbalisées, apportant ainsi des clarifications et permettant à des étudiants qui ont déjà vécu des expériences de jumelage auparavant d'en faire part aux autres.

La préparation au jumelage se poursuit par la présentation de l'extrait de la bande dessinée choisie comme élément déclencheur dans le cadre de cette activité. Comme il s'agit d'un document authentique comportant de nombreuses particularités du français parlé au Québec, il est nécessaire d'expliquer plusieurs termes afin de s'assurer que les étudiants comprennent bien tous ces éléments avant de pouvoir en discuter avec leurs jumeaux. Cette discussion à partir de la bande dessinée permet aussi de cibler les salutations et les présentations en communication interculturelle, qui constituent les éléments de base des premiers courriels.

Finalement, un portrait général de chaque groupe d'étudiants est fourni à l'autre groupe afin que chacun prenne connaissance des spécificités liées à l'ensemble des jumeaux. À cet effet, l'enseignant de maîtrise s'est rendu dans la classe de FLS pour parler de ces étudiants, tandis que l'enseignant de FLS a fourni aux étudiants de maîtrise un court bilan écrit indiquant certaines caractéristiques de ses étudiants (p. ex. pays d'origine, langue maternelle, date d'arrivée au Québec). De plus, un exemple de texte écrit par une apprenante de FLS a été montré aux étudiants de maîtrise afin qu'ils cernent mieux le niveau de français de leurs jumeaux, en vue de la rédaction de leur premier courriel.

Description des participants

Le groupe d'apprenants de FLS, qui compte 30 personnes, est constitué d'étudiants d'origines diverses, dont une nette majorité de femmes. La plupart des étudiants viennent de Chine, tandis que les autres sont originaires de l'Iran, du Pérou, du Brésil, de la Colombie, de l'Égypte, de la Syrie, du Maroc et de l'Ukraine. Plusieurs immigrants sont arrivés au Québec depuis moins de deux ans et un bon nombre ont comme projet d'avenir de chercher du travail à la suite de leur formation ou d'entreprendre à nouveau des études. Ce sont des étudiants de niveau universitaire, des adultes scolarisés qui avaient des emplois de professionnels dans leur pays d'origine.

En ce qui concerne les 14 participants du séminaire de maîtrise, en majorité des étudiantes, ils constituent un groupe très hétérogène tant sur le plan linguistique que culturel. Bien qu'ils se destinent tous à l'enseignement du FLS ou du français langue étrangère (FLE) (et que plusieurs l'enseignent déjà), seulement six étudiants sont des locuteurs natifs du français. Les huit étudiants non francophones viennent de l'Iran, du Mexique, du Venezuela, de la Bosnie-et-Herzégovine et de l'Algérie.

Tous ces étudiants suivent ce séminaire optionnel dans le cadre de leurs études de maîtrise. Chaque étudiant de ce groupe est donc jumelé à deux ou trois étudiants du groupe de FLS. Dans la mesure du possible, chaque équipe de jumeaux est pluriculturelle, c'est-à-dire qu'elle comprend des membres ayant des pays d'origine et des langues maternelles différents afin de favoriser les discussions interculturelles.

Place du jumelage dans les cours

Dans le cours de lecture en FLS, 6 heures en classe (sur les 45 heures du cours) sont consacrées au jumelage, et ce, à diverses étapes : la préparation de l'activité, la formation des équipes, la séance au laboratoire multimédia, les discussions pendant et à la suite des échanges par courriel. Par ailleurs, les apprenants de FLS doivent travailler plusieurs heures à l'extérieur du cours pour effectuer la lecture et la rédaction des courriels, pour communiquer avec les coéquipiers et pour réaliser le devoir. Pour ces apprenants, les tâches sont exigeantes parce qu'ils sont toujours en processus d'apprentissage de la langue seconde. Cependant, il faut mentionner que le devoir remis à l'enseignant compte pour seulement 2,5 % de la note finale, parce que le cours de FLS n'est pas explicitement axé sur l'interculturel.

Ce jumelage occupe aussi une place importante dans le séminaire de maîtrise sur l'interculturel, puisqu'il s'est déroulé sur sept semaines, soit presque la moitié de la session qui compte quinze semaines de cours. De plus, le jumelage est associé à une activité d'évaluation ; les étudiants doivent remettre leur réflexion critique sur le jumelage, laquelle représente une pondération de 10 % de la note finale.

Rôle des enseignants

Les enseignants des deux groupes ont organisé le projet, planifié son déroulement et assuré sa présentation à leurs étudiants respectifs. Suivant Mangenot et Tanaka (2008), en tant que coordonnateurs des jumelages les enseignants ont pris en charge la formation des équipes pluriculturelles et ont tenté d'encourager la participation de tous leurs étudiants. Comme le suggère Müller-Hartmann (2007), comme un gestionnaire et un technicien, l'enseignant de FLS a prévu une séance au laboratoire multimédia pour la rédaction du premier message.

Il veille alors à ce que les étudiants travaillent en équipe une première fois, qu'ils aient les adresses courriel pour le premier envoi et qu'ils suivent les consignes pour l'entrée en matière, c'est-à-dire se présenter et parler de soi. En tant que pédagogue (Müller-Hartmann, 2007), l'enseignant de FLS a déterminé une activité qui correspondait au niveau linguistique des étudiants (niveau avancé) et il a expliqué les règles de rédaction d'un courriel en français (salutations, mise en page, clôture, politesse).

Il est nécessaire de mentionner que les enseignants jouent un rôle clé tout au long du jumelage, notamment sur le plan de la logistique des échanges, devant à plusieurs reprises gérer des problèmes de communication entre les jumeaux (une adresse courriel qui ne fonctionne pas ou un jumeau qui ne répond pas au courriel envoyé).

Les enseignants suscitent également des discussions en classe sur l'expérience des étudiants, en ce qui concerne tant le déroulement de la communication virtuelle que les réflexions interculturelles des étudiants. L'expérience de jumelage virtuel indique que les enseignants ont un rôle primordial à jouer dans le bon déroulement de l'activité, que ce soit en tant qu'organisateurs, planificateurs ou personnes-ressources (O'Dowd, 2007b).

Activité proposée à chaque groupe d'étudiants

Le tableau qui suit présente les différentes activités qui sont proposées aux participants lors du jumelage.

Chronologie	Consignes pour les participants au jumelage
Semaine 1	**En classe** – Présentation du projet – Présentation et lecture d'un extrait d'une BD québécoise – Tâche spécifique avec la BD : décortiquer les paramètres de communication (lieux, intentions, locuteurs, contexte) pour mieux comprendre les variations possibles
Semaine 2	**En ligne** – Envoi d'un ou de plusieurs messages (au minimum un courriel par semaine) – Consignes pour le premier courriel : se présenter en quelques phrases pour briser la glace

Semaine 3	**En ligne**
	– Envoi d'un ou de plusieurs messages
	– Consignes : se poser des questions concernant les salutations au Québec ou dans son pays d'origine
	– Tâches spécifiques :
	  – Répondre aux questions de vos jumeaux pour les aider à mieux comprendre l'extrait de la bande dessinée
	  – Comparer ces informations avec des situations de communication dans sa propre culture (Comment salue-t-on dans différents contextes ? Qui doit-on saluer ?)
	  – Dialoguer dans les courriels suivants avec ses jumeaux sur ces points : demander des éclaircissements, des précisions, discuter, donner son point de vue

Semaine 4	**En ligne** – Envoi d'un ou de plusieurs messages – Consignes : dialoguer, se poser des questions concernant la communication interculturelle (voir les consignes de la semaine 3) ou d'autres éléments culturels et interculturels, au choix – Pour les étudiants de maîtrise : discuter avec ses jumeaux sur leur apprentissage du français au Québec et dans le pays d'origine, les différentes façons de pratiquer le français à l'extérieur des cours, ce qu'ils apprécient le plus et le moins de leur pays d'accueil, les éléments de la culture québécoise qu'ils aimeraient découvrir
Semaine 5	**En ligne** – Envoi d'un ou de plusieurs messages (voir les consignes des semaines 3 et 4)
Semaine 6	**En ligne** – Envoi des derniers messages (voir les consignes des semaines 3 et 4)
Semaine 7	**En classe** – Remise du rapport d'activités (pour les apprenants de FLS), de la réflexion (pour les étudiants de maîtrise) et de l'ensemble des courriels échangés

Pertinence du jumelage

Pour la classe de FLS, ce jumelage trouve sa pertinence dans deux domaines spécifiques : 1) l'activité renvoie à l'apprentissage des TIC et par les TIC ; 2) elle permet le retour sur des objectifs de communication de base en FLS, mais dans une perspective nouvelle, celle de l'interculturel. Avec le jumelage, les apprenants peuvent expérimenter un mode de communication asynchrone (les courriels) pour l'apprentissage du FLS. Ils sont amenés à échanger avec un francophone et à suivre les règles de correspondance en français pour les courriers électroniques (appel, formules d'introduction et de conclusion, salutation, signature).

Ainsi, le jumelage permet aux étudiants de travailler une compétence linguistique et technologique : écrire un courriel en FLS. Cette capacité à utiliser les technologies et à en user pour apprendre (la langue ou autres) est importante pour les immigrants. Que ce soit pour leur intégration personnelle, professionnelle ou sociale, il leur est nécessaire de maîtriser ces compétences technologiques (Collin, 2013) afin de répondre adéquatement à leurs besoins.

Dans un programme de FLS, les salutations et les présentations sont souvent les premiers thèmes abordés. Les apprenants débutants sont invités à saluer, à se présenter ou à présenter une autre personne. Pour ce qui est de ce jumelage, l'activité s'avère originale, parce qu'elle demande aux apprenants (de niveau avancé) de revoir les salutations et les présentations en français dans un contexte particulier (la bande dessinée), d'en analyser les subtilités et de revoir ces thèmes dans un contexte interculturel. C'est dire que les étudiants revoient des acquis de leurs débuts en FLS pour en discuter et faire des comparaisons dans d'autres contextes culturels.

Pour les étudiants de maîtrise, ce jumelage s'avère extrêmement pertinent au regard de leur formation. Ces (futurs) enseignants de FLS ou de FLE ont ainsi l'occasion d'avoir un contact virtuel avec des apprenants de français, et de réfléchir à leur expérience. Ils peuvent ainsi vivre eux-mêmes un jumelage avant de penser intégrer l'activité dans leur propre démarche d'enseignement (O'Dowd, 2007b). D'ailleurs, selon leurs réponses lors de la réflexion écrite remise à la fin du projet, tous les étudiants mentionnent que ce jumelage leur a permis de faire divers apprentissages qui leur serviront au cours de leur carrière d'enseignant. Tout d'abord, l'activité leur a donné des pistes didactiques pour l'enseignement de la diversité culturelle en classe et elle constitue un exemple pour eux de l'intégration de ces éléments dans une classe de langue seconde.

> Je me destine à être professeure de FLS/FLE, cette activité est très intéressante, car elle me donne un exemple et une application concrète de ce que je pourrais mettre en place dans une de mes futures classes. Cela viserait évidemment les compétences de compréhension et de production écrite, mais aussi une compétence sociolinguistique, s'agissant d'une correspondance authentique avec des locuteurs francophones (Malika).

Cette future professeure constate les nombreux avantages qu'elle a pu retirer du jumelage et souligne la possibilité de l'inclure éventuellement en salle de classe avec ses propres apprenants.

D'après moi, les jumelages ont un impact important non seulement sur l'apprentissage de la langue et la culture de cette langue, mais aussi sur son enseignement et sur son développement dans une classe de langue pour ceux qui désirent devenir enseignants, car elle permet aux enseignants de réfléchir à la façon d'amener la culture dans leur classe de langue (Ève).

Pour cette étudiante, le jumelage a permis une sensibilisation à la relation entre langue et culture, et une réflexion sur la pertinence et la façon de transmettre les aspects culturels en classe de langue.

Aussi, ils peuvent véritablement prendre conscience du fait que l'enseignant de langue doit être sensible aux besoins des apprenants et adapter son discours en conséquence. Le jumelage a ainsi permis aux étudiants de maîtrise de développer des stratégies pour mieux se faire comprendre, à l'écrit, par leurs jumeaux. À titre d'exemple, une majorité d'entre eux mentionnent l'importance d'utiliser un vocabulaire approprié pour faciliter la compréhension écrite des apprenants et de donner des exemples concrets. D'autres rapportent qu'ils se sont véritablement rendu compte, par cette activité, de l'importance de vérifier la compréhension des apprenants en leur posant des questions.

Enfin, deux étudiants précisent qu'il est nécessaire, avec les jumeaux, d'adopter des attitudes amicales et ouvertes à l'altérité afin de favoriser le contact virtuel. Il apparaît donc que l'ensemble des commentaires recueillis fait état de la pertinence du jumelage dans la formation en didactique de ces étudiants de maîtrise, notamment dans une perspective d'exploitation d'une telle activité dans le cadre de leur propre enseignement.

Forces et défis

Du côté des apprenants de FLS, le jumelage comporte trois aspects positifs: 1) c'est une activité qui permet l'exploration des composantes de la communication interculturelle; 2) elle amène certains apprentissages sur la société d'accueil; 3) elle paraît utile pour les étudiants. Dans le domaine de la communication interculturelle, il ressort des travaux remis par les apprenants qu'il y a véritablement eu échanges sur le thème. Les rapports écrits font état de ressemblances (l'emploi de surnoms en contexte familier) et de différences (s'adresser différemment aux femmes, aux personnes plus âgées) dans les salutations et les présentations d'une culture à l'autre. Cette information est confirmée par des commentaires rédigés par des apprenants de FLS. Du côté des apprenants de FLS, le jumelage comporte trois aspects positifs: 1) c'est une activité qui permet l'exploration des composantes de la communication interculturelle; 2) elle amène certains apprentissages sur la société d'accueil; 3) elle paraît utile pour les étudiants.

Dans un premier temps, il ressort des travaux remis par les apprenants qu'il y a véritablement eu échanges sur le thème de la communication interculturelle. Les rapports écrits font état de ressemblances (l'emploi de surnoms en contexte familier) et de différences (s'adresser différemment aux femmes, aux personnes plus âgées) dans les salutations et les présentations d'une culture à l'autre. Cette information est confirmée par des commentaires rédigés par des apprenants de FLS. En effet, sept étudiants sur trente affirment avoir appris des formes de salutation dans divers contextes culturels (Québec, Venezuela, France). Deuxièmement, les immigrants qui ont participé au jumelage estiment avoir appris sur le Québec. Sept étudiants sur 30 affirment avoir acquis des expressions et des mots d'ici. Une personne dit mieux connaître la culture québécoise, une autre mentionne savoir comment communiquer avec des étudiants québécois. Dans un troisième temps, il semble que l'expérience du jumelage soit aussi profitable pour les immigrants. Une majorité d'entre eux affirment que l'activité est utile dans leur apprentissage de la langue, tandis qu'un grand nombre estiment qu'elle est bénéfique pour leur intégration dans la société.

Selon les commentaires des étudiants de maîtrise, les principaux points positifs de ce jumelage en ligne concernent la sensibilisation à de nouvelles cultures et l'apprentissage de traits culturels spécifiques, notamment en ce qui concerne les salutations, ainsi que les manières de penser et d'agir. Une majorité de ces étudiants apprécient aussi le contact réel (bien que virtuel) conféré par le jumelage, indiquant que ces échanges authentiques étaient très motivants, en plus de permettre une flexibilité notable. Dans un même ordre d'idées, en ce qui concerne l'aspect technologique du jumelage, l'expérience d'un jumelage virtuel a été intéressante et nouvelle pour certains étudiants qui avaient déjà vécu une activité de jumelage face à face. Finalement, cinq étudiants évoquent le fait que cette expérience leur a permis d'enrichir leur réflexion par rapport aux notions et concepts vus dans le séminaire de maîtrise.

En ce qui concerne les points plus négatifs du jumelage, quelques étudiants de maîtrise relèvent le fait que l'utilisation de cette BD n'est pas nécessairement appropriée, puisqu'elle fait référence à la culture québécoise des années 1970, et n'est donc pas contemporaine. Aussi, trois étudiants évoquent une durée d'échanges trop courte, alors que quatre autres indiquent que leurs jumeaux semblaient peu participatifs ou peu motivés, ce qui entraînait de longs délais de réponse. Du côté des apprenants de FLS, six personnes disent qu'il serait préférable de se rencontrer en personne. Deux remettent en question le travail en équipe, suggérant un jumelage en dyade, ce qui faciliterait la communication.

Impact du jumelage

L'impact du jumelage est observable à différents égards. D'abord, il s'agit d'une activité structurante sur le plan institutionnel, puisque le jumelage a permis d'affiner un partenariat entre des enseignants de deux départements et d'établir des liens entre la formation des enseignants et l'enseignement des langues à l'UQAM. Ensuite, en ce qui concerne plus spécifiquement la formation des (futurs) enseignants, la didactique de l'interculturel a ainsi pu être expérimentée par une activité de rencontre interculturelle avec des apprenants venant de divers espaces linguistiques et culturels, ce qui reflète bien le caractère hétérogène des classes de FLS, particulièrement à Montréal. En ce qui concerne la dimension interculturelle, cette activité a mis en relief l'importance de réfléchir sur sa propre culture, tout en étant ouvert à découvrir celle de l'Autre, de même que la nécessité de respecter les cultures diverses des apprenants.

Une étudiante évoque d'ailleurs l'évolution de sa réflexion concernant ses propres représentations culturelles en tant qu'enseignante de FLS :

> Ce jumelage m'aide à confirmer que depuis que j'ai commencé à côtoyer des Chinois en tant qu'enseignante, ma perception de la culture chinoise a énormément changé. C'est de réfléchir à cette évolution des perceptions qui a été un des points les plus positifs dans le jumelage : si j'étais plutôt réservée face à la culture chinoise il y a une dizaine d'années, elle est devenue aujourd'hui pour moi fascinante et intéressante (Agnès).

En ce qui touche aux stratégies pédagogiques proposées aux étudiants, l'impact de cette activité est aussi important, puisque celle-ci a servi d'exemple à l'organisation d'un jumelage. Plusieurs étudiants qui enseignent déjà le français indiquent vouloir organiser un jumelage avec leurs propres apprenants, que ce soit de façon virtuelle ou en présentiel. L'utilisation des échanges de courriels pour la réalisation d'un jumelage interculturel a donc suscité, chez certains étudiants, une découverte qui pourrait avoir une influence sur leur enseignement :

> Cette façon de connaître l'autre [...] était vraiment intéressante pour moi parce que l'on doit se servir des TIC pour qu'on puisse se familiariser avec l'enseignement linguistique et également interculturel. Merci de votre idée, car cela m'a permis de connaître un champ de recherche de l'usage des TIC dans l'enseignement (Samir).

Ainsi, il semble que les impacts de ce jumelage soient importants pour les étudiants de maîtrise, et que cette activité leur ait permis d'approfondir leur réflexion interculturelle et pédagogique.

Appréciation des étudiants

L'ensemble des participants des deux groupes est satisfait du jumelage auquel ils ont pris part. Du côté des apprenants de FLS, il semble qu'une forte majorité ait apprécié l'expérience. À une question posée pour connaître leur point de vue sur le jumelage («Globalement, êtes-vous satisfait de cette expérience ?»), 21 participants indiquent être «Très satisfait» ou «Plutôt satisfait», alors que trois mentionnent être «Plutôt insatisfait», et qu'un participant affirme être «Très insatisfait».

Selon les réponses des étudiants de maîtrise à la première question posée dans le cadre de leur réflexion écrite (« 1. Sur une échelle de 1 à 5, évaluez votre degré de satisfaction par rapport à l'activité de jumelage que vous venez de vivre. Encerclez la réponse qui vous convient »), l'activité de jumelage en ligne a été globalement appréciée. En effet, neuf étudiants se disent « Plutôt satisfait » ou « Tout à fait satisfait », tandis que deux indiquent qu'ils sont neutres par rapport à cette activité. Pour leur part, trois étudiants ont choisi la réponse « Assez insatisfait ». Ces variations sont notamment attribuables aux points positifs et négatifs qu'ils ont décrits.

Conclusion

Ce jumelage semble avoir notamment permis aux participants d'explorer des composantes de la communication interculturelle, de réfléchir aux liens entre la langue et la culture, de s'ouvrir aux autres cultures et de développer une sensibilité interculturelle. Il a également mis l'accent sur l'importance de prendre en compte les aspects interculturels lors des échanges en ligne (Dervin et Vlad, 2010 ; O'Dowd, 2003), lesquels font partie prenante de la vie quotidienne des participants des deux groupes.

Par ailleurs, des pistes de recommandations sont envisagées afin de parfaire cette expérience. D'abord, il semble important de prévoir une période relativement longue pour les échanges, soit six semaines ou plus. Cela permettrait par exemple aux jumeaux de faire plus ample connaissance, d'approfondir certains éléments interculturels et de clore la communication dans la convivialité (Vinagre, 2007). De plus, il est primordial d'établir un calendrier précis des échanges comprenant les dates où commence la communication, la fréquence des messages, les délais de réponse ainsi que le nombre minimal de messages (Müller-Hartmann, 2007).

Pour les apprenants de FLS, il est d'ailleurs recommandé de prévoir des périodes au laboratoire multimédia pour faciliter le travail collaboratif et répondre aux questions techniques et logistiques. On peut également envisager l'intégration d'échanges oraux (en face à face, par Skype ou par téléphone) en complémentarité avec les échanges virtuels afin de privilégier une formule de jumelage hybride.

En somme, le jumelage en ligne est certainement une expérience à reproduire, car il constitue une façon originale et authentique d'entrer en contact avec l'Autre tout en vivant, de façon virtuelle, des communications interculturelles.

Bibliographie

Amireault, V. et S. Bhanji-Pitman (2012). «Remercier en contexte éducatif pluriel», *Québec français*, n° 167, p. 51-52.

Berge, Z.L. (1995). «Facilitating computer conferencing : Recommendations from the field», *Educational Technology*, vol. 36, n° 1, p. 22-29.

Byram, M. (1992). *Culture et éducation en langue étrangère*, Paris, Didier.

Collin, S. (2013). «Le rôle des TIC pour l'intégration des immigrants», dans S. Collin et T. Karsenti (dir.), *TIC, technologies émergentes et Web 2.0*, Québec, Presses de l'Université du Québec, p. 243-268.

Dervin, F. et M. Vlad (2010). «Pour une cyberanthropologie de la communication interculturelle – Analyse d'interactions en ligne entre étudiants finlandais et roumains», *Alsic*, vol. 13, <http://alsic.revues.org/1399>, consulté le 12 juin 2013.

Furcsa, L. (2009). «Outcomes of an intercultural e-mail based university discussion project», *Language and Intercultural Communication*, vol. 9, n° 1, p. 24-32.

Kramsch, C. (1998). *Language and Culture*, Oxford, Oxford University Press.

Lamy, M.-N. et R. Hampel (2007). *Online Communication for Language Learning and Teaching*, Londres, Palgrave Macmillan.

Legutke, M.K., A. Müller-Hartmann et M. Schocker-von Ditfurth (2006). «Preparing teachers for technology-supported English language teaching», dans J. Cummins et C. Davidson (dir.), *Kluwer Handbook on English Language Teaching*, Dordrecht, Kluwer International Handbooks of Education, p. 1125-1138.

Lussier, D. (2004). «Une approche de compétence de communication interculturelle : un nouveau défi en enseignement des langues», *Québec français*, n° 132, p. 60-61.

Mangenot, F. et S. Tanaka (2008). «Les coordonnateurs comme médiateurs entre deux cultures dans les interactions en ligne : le cas d'un échange franco-japonais», *Alsic*, vol. 11, n° 1, p. 33-59, <http://alsic.revues.org/index472.html>, consulté le 7 novembre 2012.

Müller-Hartmann, A. (2000). «The role of tasks in promoting intercultural learning in electronic learning networks», *Language Learning and Technology*, vol. 4, n° 2, p. 129-147.

Müller-Hartmann, A. (2007). «Teacher role in telecollaboration : Setting up and managing exchanges», dans R. O'Dowd (dir.), *Online Intercultural Exchange*, Clevedon, Multilingual Matters, p. 167-191.

Neuner, G. (2003). «Les mondes socioculturels intermédiaires dans l'enseignement et l'apprentissage des langues vivantes», dans M. Byram (dir.), *La compétence interculturelle*, Strasbourg, Division des politiques linguistiques, Conseil de l'Europe, p. 15-66.

O'Dowd, R. (2003). «Understanding "the other side": Intercultural learning in a Spanish-English e-mail exchange», *Language Learning and Technology*, vol. 7, n° 2, p. 118-144.

O'Dowd, R. (2007a). *Online Intercultural Exchange*, Clevedon, Multilingual Matters.

O'Dowd, R. (2007b). «Evaluating the outcomes of Intercultural Exchange», *ELT Journal*, vol. 61, n° 2, p. 144-152.

Rabagliati, M. (2002). *Paul a un travail d'été*, Montréal, Éditions de la Pastèque.

Vinagre, M. (2007). «Integrating tandem learning in higher education», dans R. O'Dowd (dir.), *Online Intercultural Exchange*, Clevedon, Multilingual Matters, p. 240-249.

Yun, H. et F. Demaizière (2008). «Interactions à distance synchrones entre apprenants de FLE. Le clavardage au service du français académique», *Les Cahiers de l'Acedle*, vol. 5, n° 1, p. 255-276.

Postface
Christian AGBOBLI
Vice-doyen à la recherche, Faculté de communication, Université du Québec à Montréal

SELON LE DICTIONNAIRE LAROUSSE (2010), LE JUMELAGE EST L'«ACTION de jumeler», c'est-à-dire «ajuster, accoupler côte à côte deux objets semblables et disposés de la même façon». Historiquement, le jumelage fait spontanément penser à l'association entre deux villes de pays différents. Ce type de jumelage vise des échanges socioculturels. Ainsi, Montréal est jumelée avec les villes de Shanghai et de Hiroshima; la ville de Québec est jumelée avec Bordeaux, Namur ou Xi'an. Toutefois, le jumelage fait également penser à la relation gémellaire, cette relation si spéciale qui réunit deux jumeaux, qu'ils soient monozygotes ou dizygotes. En effet, qui n'a jamais été surpris en présence de jumeaux de constater soit une ressemblance physique extrême entre eux et une divergence importante dans leurs comportements, soit l'inverse, des comportements totalement fusionnels et une dissemblance physique? Si les jumeaux peuvent donner l'impression d'être semblables, ils ne le sont pas nécessairement. Ils frappent néanmoins l'imaginaire de leur entourage.

Dans le monde actuel marqué par la mondialisation et les technologies, quand on pense aux jumelages, on pense aux connexions entre les ordinateurs, les tablettes, les téléphones intelligents et les haut-parleurs sans fil auxquels il faut les synchroniser si l'on souhaite écouter de la musique ou voir un film. Aujourd'hui, le jumelage, dans le sens que les auteurs de ce livre lui donnent, est surtout une rencontre entre les individus et les groupes dans un contexte d'apprentissage. Dans ce sens, je suis heureux en tant qu'enseignant-chercheur de constater que des exemples de jumelage interculturel se réalisent dans le cadre d'un établissement universitaire – l'UQAM en l'occurrence.

La première partie de l'ouvrage dresse une analyse rigoureuse des fondements théoriques liés aux jumelages interculturels. Cette partie procède d'une logique très universitaire où l'on analyse d'abord de manière générale les principes qui sous-tendent la catégorisation entre Eux et Nous, pour ensuite aborder les jumelages interculturels sous différents angles, théories, perspectives. Cette partie théorique est sans nul doute un apport pertinent autant pour les étudiants que pour les chercheurs du domaine.

La deuxième partie sur les jumelages interculturels dans la formation universitaire retient l'attention de manière spécifique. En effet, les cinq expériences proposées renvoient à une compréhension de l'université telle qu'elle avait été envisagée par les 400 recteurs d'Universités européennes lorsqu'ils ont signé la Magna Charta Universitatum à Bologne en 1988. Si l'Université est un service public qui sert le bien commun, le quatrième principe fondamental de la charte souligne : « dépositaire de la tradition de l'humanisme européen, mais avec le souci constant d'atteindre au savoir universel, l'université, pour assumer ses missions, ignore toute frontière géographique ou politique et affirme la nécessité impérieuse de la connaissance réciproque et de l'interaction des cultures. » L'ouvrage me semble répondre à ce principe de l'université grâce aux interactions que favorisent les jumelages.

Plusieurs mots caractérisent cet ouvrage dirigé par mes collègues Nicole Carignan, Myra Deraîche et Marie-Cécile Guillot : *audace, courage, exemplarité, jumelage, modèle, pertinence*. En raison de contraintes spatiales, une petite réflexion sera menée sur trois de ces mots : *audace, exemplarité* et *jumelage*.

Ces jumelages sont marqués du sceau de l'audace. De l'audace, d'abord, parce qu'il faut en effet du courage pour essayer d'adapter ou de mettre en phase des programmes universitaires avec la société. De l'audace, ensuite, pour faire communiquer des groupes culturellement différents. De l'audace, enfin, pour organiser des rencontres entre des non-francophones qui ont eu une expérience professionnelle riche dans leurs pays d'origine et des Québécois francophones qui étudient pour préparer leur future carrière ; ces derniers visant des emplois à titre de conseillers en carriérologie, de travailleurs sociaux ou même d'enseignants des enfants des non-francophones avec qui ils ont été jumelés. Ces rencontres permettent, à la base, de développer des expériences nécessaires à la rencontre interculturelle. Ce faisant, une réelle construction de l'altérité s'effectue. Ces rencontres reflètent probablement le vœu caché des auteurs de rendre la société beaucoup plus juste et égalitaire par ces rencontres qui sont censées engendrer un certain optimisme à travers les pratiques adoptées.

Dans le même temps, au-delà de l'audace, cet ouvrage se caractérise par l'exemplarité. En effet, les différentes recherches menées ici, qu'elles soient théoriques ou empiriques, relèvent de l'exemple. Un premier modèle d'exemplarité apparaît dans la partie 1 « Assises théoriques des jumelages interculturels », où nous retrouvons une multitude d'analyses entourant le vaste champ de l'éducation interculturelle, de la communication interculturelle, du travail social, de la psychologie interculturelle. Cette section ne se limite pas à une présentation des origines théoriques de tel ou tel concept, mais rend compte des dynamiques sociales dans lesquelles ces concepts s'insèrent. Un autre signe d'exemplarité ressort des pratiques expérimentales faites par les enseignants-chercheurs qui ont contribué à cet ouvrage. On retrouve ici ce que le Québec peut offrir de meilleur en matière de recherches et d'apprentissages, c'est-à-dire la collaboration entre les maîtres de langue et les professeurs dans la préparation de leurs enseignements, la complémentarité qui est la leur pour que les étudiants fassent le meilleur apprentissage possible. Différents exemples illustrent cette volonté de fournir un apprentissage novateur : alors que le jumelage est pensé généralement dans une logique de dyade, on ne peut que souligner l'originalité d'une proposition visant à penser le jumelage en groupe ; de même, l'idée de procéder au jumelage au moyen d'échanges par courriel est également intéressante. Ces quelques exemples – abondants dans le livre – illustrent la volonté de penser l'altérité autrement.

De plus, les auteurs et les collaborateurs de ce livre ont réussi à prêcher par l'exemple en proposant un ouvrage qui reflète lui-même le jumelage. En effet, presque tous les chapitres – à l'exception d'un seul – ont été écrits à quatre ou à six mains. Auteurs et collaborateurs ont donc sacrifié à l'exigence du jumelage en confrontant leurs points de vue, en harmonisant leurs positions et en publiant un contenu qui montre que la collaboration et la complémentarité issues du jumelage apportent des réponses qui sont le fruit de négociations entre Soi et l'Autre.

L'ouvrage dans son ensemble interroge les étudiants, les professeurs, les maîtres de langue et les chargés de cours, mais ne se limite pas à eux. Il interpelle les citoyens ainsi que les décideurs politiques. Quelles sont les conditions qui rendent possible l'harmonisation des relations interculturelles ? Quels sont les éléments favorisant une plus grande compréhension entre les différentes composantes de la société québécoise ? Quelle est la place accordée à l'université dans le processus d'intégration des immigrants ? Comment la société québécoise peut-elle mieux inclure les immigrants ? En effet, l'élément qui m'a spécialement marqué dans la lecture de l'ouvrage est le suivant : autant les Québécois d'origine canadienne-française annoncent qu'ils ont été rarement en interaction avec des immigrants, autant les immigrants québécois – qui sont également demandeurs de ces rencontres – éprouvent un plaisir à côtoyer les Québécois de souche. Un tel constat signifie-t-il que nous vivons dans le même espace, sur le même territoire sans vivre ensemble, sans nous parler, sans échanger ?

En guise de conclusion, je dirai que cet ouvrage constitue un véritable précédent dans le monde universitaire et à l'UQAM dans le sens où la notion de jumelage y est centrale autant en théorie qu'en pratique. Sans être des jumeaux, les apprenants et les enseignants rendent possible une rencontre, interculturelle, et amènent le lecteur à envisager une autre manière de penser le vivre ensemble : les « Eux » et les « Vous » se rencontrent dans le but de créer un « Nous » malgré les obstacles possibles.

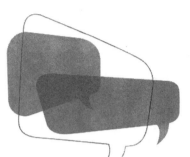

Notices biographiques

CHRISTIAN AGBOBLI est professeur au Département de communication sociale et publique de l'Université du Québec à Montréal (UQAM). Cofondateur et directeur du Groupe d'études et de recherches axées sur la communication internationale et interculturelle (GERACII), il est chercheur régulier du centre de recherche GRICIS et chercheur associé à la Chaire UNESCO en communication et technologies pour le développement. Sur le plan administratif, Christian Agbobli a été vice-doyen à la recherche et à la création de la Faculté de communication de l'UQAM et directeur de l'unité de programmes de deuxième cycle en communication.

VALÉRIE AMIREAULT est professeure-chercheure au Département de didactique des langues de l'Université du Québec à Montréal depuis 2011. Ses principaux champs d'intérêt sont la francisation des immigrants, leur intégration linguistique et culturelle ainsi que le développement de leur compétence interculturelle. Elle possède une solide expérience en enseignement du FLS aux immigrants adultes en contexte québécois et en enseignement du français à l'étranger.

GINETTE BERTEAU est professeure à l'École de travail social de l'Université du Québec à Montréal et travailleuse sociale. Ayant comme champ de spécialisation le travail social de groupe, elle a développé au fil des ans une sensibilité interculturelle et a intégré cette perspective dans l'enseignement au travail de groupe.

JULIANE BERTRAND est maître de langue en français langue seconde à l'École de langues de l'Université du Québec à Montréal. Elle s'intéresse particulièrement au développement des habiletés phonétiques et de la compétence de communication orale des apprenants adultes. Elle oriente son enseignement de façon à aider ses étudiants à devenir des citoyens bien informés des enjeux de leur société d'accueil.

SHEHNAZ BHANJI-PITMAN est spécialisée en didactique des langues et cultures. Elle est professeure-chercheure et formatrice en formation continue au programme UQAM-MIDI à l'Université du Québec à Montréal. Ses intérêts de recherche portent sur les questions relatives à l'apprentissage du français langue d'intégration chez les nouveaux arrivants au Québec ainsi que sur la prise en compte par les enseignants des aléas du processus migratoire en contexte éducatif pluriel en formation initiale et continue des enseignants.

JOSÉE BLANCHET est maître de langue à l'Université du Québec à Montréal depuis 2003. Elle intègre des activités de jumelage à ses cours depuis plus d'une décennie. Elle se spécialise en phonétique appliquée à l'apprentissage du français langue seconde et ses recherches examinent l'effet de l'enseignement phonétique sur les habiletés orales des apprenants.

RICHARD BOURHIS a obtenu un B. Sc. en psychologie à l'Université McGill et un Ph. D. en psychologie sociale à l'Université de Bristol (Grande-Bretagne). Il a enseigné à l'Université McMaster (Ontario) et est professeur titulaire en psychologie à l'Université du Québec à Montréal depuis 1988. Richard Bourhis a produit de très nombreuses publications, en français et en anglais, sur des thèmes variés tels que la communication interculturelle, la discrimination et les relations intergroupes, l'immigration, l'acculturation et l'aménagement linguistique. Il a été directeur du Centre d'études ethniques des universités montréalaises (CEETUM) de 2006 à 2009.

NICOLE CARIGNAN est professeure titulaire en éducation interculturelle à l'Université du Québec à Montréal. Elle a obtenu un Ph. D. en éducation comparée de l'Université de Montréal. Elle a enseigné à la Cleveland State University (Ohio, É.-U.), à la Nelson Mandela Metropolitan University (Port Elizabeth, Afrique du Sud) et à l'Akademi Musik de Yogyakarta (Java, Indonésie). Elle a publié de nombreux articles en français et en anglais sur l'enseignement de la musique et des mathématiques dans une perspective comparée et interculturelle, sur les représentations sociales des enseignants, sur la discrimination et sur les jumelages interculturels. Elle est membre du Centre d'études ethniques des universités montréalaises (CEETUM).

MYRA DERAÎCHE est maître de langue en français langue seconde à l'École de langues de l'Université du Québec à Montréal. Elle possède une formation en littérature et en enseignement du français. Elle enseigne le français langue seconde aux immigrants depuis 2000 à Montréal et travaille à l'École de langues de l'UQAM depuis 2003. Elle s'intéresse à la didactique de la lecture en langue seconde et à l'éducation interculturelle.

MARIE-CÉCILE GUILLOT est maître de langue en français langue seconde à l'École de langues de l'Université du Québec à Montréal depuis 2001. Elle en est la directrice depuis 2011. Possédant une solide expérience en enseignement du français langue seconde, elle se spécialise dans l'enseignement de l'écrit auprès des étudiants adultes.

KARINE LAMOUREUX a obtenu une maîtrise en linguistique, didactique des langues de l'Université du Québec à Montréal. Elle enseigne le français langue seconde aux adultes depuis 2001 et intègre des jumelages interculturels dans plusieurs de ses cours. Comme praticienne de l'enseignement, elle s'intéresse à l'approche par les tâches et à l'intégration socioprofessionnelle des immigrants. Actuellement étudiante au doctorat en éducation à l'Université de Sherbrooke, elle travaille sur le développement de la compétence à écrire en langue première et en langue seconde.

CYNTHIA MARTINY, professeure au Département d'éducation et pédagogie de l'Université du Québec à Montréal, section carriérologie, est également conseillère d'orientation. Son champ de spécialisation est le counseling de groupe et de carrière en contexte pluriethnique. Anglophone venue des États-Unis, elle vit au Québec depuis 1989.

RANA SIOUFI a obtenu un B. Sc. spécialisé en psychologie à l'Université d'Ottawa. Elle est actuellement candidate au doctorat à l'Université du Québec à Montréal, sous la direction de Richard Bourhis. Elle a reçu la bourse doctorale Joseph-Armand-Bombardier du Conseil de recherches en sciences humaines (CRSH) du Canada. Sa thèse doctorale porte sur les corrélats sociopsychologiques de la migration interprovinciale dans la région bilingue du Canada. Ses publications concernent, entre autres, l'interaction ethnolinguistique ainsi que les orientations d'acculturation envers les minorités valorisées et dévalorisées.

PIERRE ZUNDEL est recteur de l'Université de Sudbury, institution fédérée à l'Université Laurentienne à Sudbury en Ontario. Il a été doyen du Renaissance College à l'Université du Nouveau-Brunswick et professeur en génie forestier dans cette même université ainsi qu'à l'Université de Moncton. Il est lauréat du prix d'enseignement national 3M de la société pour l'avancement de la pédagogie dans les études supérieures.

MARQUIS

Québec, Canada

RECYCLÉ
Papier fait à partir
de matériaux recyclés
FSC® C103567

Imprimé sur du papier Enviro 100% postconsommation
traité sans chlore, accrédité ÉcoLogo et fait à partir de biogaz.